JN309613

9791168756199

주요과목
핵심이론

Contents

01 폐기물개론

1. 폐기물 발생량의 예측방법과 조사방법의 종류

① 폐기물 발생량의 예측방법 : 다중회귀모델, 동적모사모델, 경향모델
② 폐기물 발생량의 조사방법 : 물질수지법, 직접계근법, 적재차량계수법, 통계조사법
③ 다중회귀모델은 하나의 수식으로 각 인자들이 효과를 총괄적으로 나타내어 복잡한 시스템의 분석에 유용하게 사용할 수 있는 쓰레기 발생량을 예측하는 방법이다.
④ 동적모사모델은 쓰레기 배출에 영향을 주는 모든 인자를 시간에 대한 함수로 나타낸 후 시간에 대한 함수로 각 영향인자들 간에 상관관계를 수식화한 것이다.
⑤ 물질수지법은 시스템에 유입되는 쓰레기 양과 유출되는 쓰레기 양에 대해서 물질수지를 세워 발생되는 쓰레기의 양을 추정하는 방법으로 물질수지를 세울 수 있는 상세한 데이터가 있는 경우에 가능하며, 우선적으로 조사하고자 하는 계의 경계를 정확하게 설정하여야 하고, 주로 산업폐기물의 발생량 추산에 이용되며, 비용이 많이 들고 작업량이 많아 널리 이용되지 않는다.

2. 폐기물 발생

① 대도시보다는 문화수준이 열악한 중소도시의 주변이 쓰레기를 더 적게 발생시킨다.
② 쓰레기발생량은 주방쓰레기량에 영향을 많이 받으므로 엥겔지수가 높은 서민층의 쓰레기가 부유층보다 적다.
③ 쓰레기를 자주 수거해 가면 쓰레기 발생이 증가한다.
④ 쓰레기통이 클수록 유효용적이 증가하면 발생량이 증가한다.
⑤ 재활용품의 회수 및 재이용률이 증가할수록 쓰레기 발생량은 감소한다.
⑥ 생활수준이 증가할수록 쓰레기의 종류는 다양화되고 발생량은 증가한다.
⑦ 쓰레기의 성분은 계절에 영향을 받는다.
⑧ 쓰레기 관련법규는 쓰레기 발생량에 매우 중요한 영향을 미친다.

⑨ 부엌용 분쇄기를 사용할 경우 음식쓰레기 발생량이 제한적으로 감소한다.

⑩ 상업지역, 주택지역 등 장소에 따라 발생량과 성상이 달라진다.

3. 분뇨

① 분뇨는 외관상 황색~다갈색이며, 비중은 1.02 정도이다.

② 분뇨는 하수슬러지에 비해 협잡물, 염분, 질소의 농도가 높다.

③ 다량의 유기물(휘발성고형물)을 포함하여 고액분리가 곤란하다.

④ 우리나라 도시의 분뇨수거량은 1인 1일당 0.9~1.2L이다.

⑤ 점성은 반고체상태이다.

⑥ 점도는 비점도로 1.2~2.2 정도이다.

⑦ 분뇨에서 '분 : 뇨'의 고형물의 비는 7:1이다.

⑧ 분과 뇨의 구성비는 대략 양적으로 1:8이다.

4. 폐기물의 조성

① 폐기물의 성상분석 절차 순서는 시료 → 밀도 측정 → 물리적 조성분석 → 건조 → 분류(가연성, 불연성) → 전처리(절단 및 분쇄) → 화학적 조성분석 순이다.

② 폐기물의 성상분석의 절차 중 가장 먼저 시행하는 것은 밀도측정이다.

5. 수분의 함유형태

① 간극수(간극모관결합수) : 큰 고형물입자 간극에 존재하는 수분으로 슬러지 내의 수분 중 일반적으로 가장 많은 양을 차지하며 고형물질과 직접 결합해 있지 않기 때문에 농축 등의 방법으로 용이하게 분리할 수 있는 수분이다.

② 모관결합수 : 미세한 슬러지 고형물의 입자사이의 얇은 틈에 존재하는 수분으로 모세관압으로 결합되어 있는 수분이며, 원심력, 진공압 등 기계적 압착으로 분리시킨다.

③ 부착수(표면부착수) : 콜로이드상 결합수로 표면에 부착되어 있는 수분이며, 수분제거가 용이하지 못하다.

④ 내부수 : 세포내부에 강하게 결합된 수분으로 슬러지 건조시 증발이 가장 어려운 수분이므로 탈수가 가장 어려운 수분이다.

⑤ 슬러지내의 탈수성 순서는 간극모관결합수 〉 모관결합수 〉 쐐기(틈새)상모관결합수 〉표면부착수 〉 내부수 순이다.

⑥ 슬러지 건조시 가장 증발이 어려운 수분은 내부수이다.

6. MHT(man · hr/ton)

① $MHT(man \cdot hr/ton) = \dfrac{수거인부수(인) \times 작업시간(hr)}{쓰레기 \ 수거실적(ton)}$

② 1ton의 쓰레기를 수거하는데 수거인부 1인이 소요하는 총 시간을 의미한다.

③ 폐기물의 수거효율을 평가하는 단위이다.

④ MHT가 클수록 수거효율이 낮다.

⑤ 수거작업간의 노동력을 비교하기 위한 것이다.

7. 쓰레기 관리체계에서 비용이 가장 많이 드는 단계는 수거단계이며, 수거단계가 전체비용의 60% 이상을 차지한다.

8. 쓰레기 수거노선 설정시 유의사항

① 가능한 지형지물 및 도로 경계와 같은 장벽을 이용하여 간선도로 부근에서 시작하고 끝나도록 배치하여야 한다.

② 가능한 한 시계방향으로 수거노선을 정한다.

③ 발생량이 아주 많은 발생원은 하루 중 가장 먼저 수거한다.

④ 발생량이 적으나 수거빈도가 동일하기를 원하는 적재지점은 가능한 한 같은 날 왕복 내에서 수거한다.

⑤ 언덕지역에서는 언덕의 위에서부터 적재하면서 아래로 차량을 진행한다.

⑥ U자형 회전을 피한다.

⑦ 가급적 출 · 퇴근 시간을 피한다.

⑧ 될 수 있는 한 한번 간 길은 가지 않는다. (반복운행을 피하도록 한다.)

9. 쓰레기의 수집 시스템 중 모노레일 수송방식

① 적환장에서 최종처분장까지 수송하는데 적용할 수 있다.

② 자동무인화 할 수 있다.

③ 가설이 어렵고 설치비가 높다.

④ 시설완료 후에는 경로변경이 어렵다.

⑤ 반송용 노선이 필요하다.

10. 쓰레기의 수집 시스템 중 컨베이어 수송방식

① 지하에 설치된 컨베이어에 의해 수송하는 방법이다.
② 수송망을 하수도 시설처럼 가설하면 각 가정에서 배출된 쓰레기를 최종처분장까지 운반할 수 있다.
③ 내구성과 미생물 부착 등의 문제가 있다.
④ 유지비가 많이 든다.
⑤ 악취문제의 해결과 경관보전이 가능하다.
⑥ 고가의 시설비와 정기적인 정비가 필요하다.

11. 쓰레기의 수집 시스템 중 관거(Pipeline) 수송방식

① 자동화, 무공해화, 안전화가 가능하다.
② 분진, 악취, 소음, 진동 등의 문제가 없다.
③ 쓰레기 발생밀도가 높은 인구밀집지역 및 아파트 지역 등에서 현실성이 있다.
④ 조대(대형)쓰레기는 파쇄, 압축 등의 전처리를 해야 한다.
⑤ 잘못 투입된 물건은 회수하기가 곤란하다.
⑥ 장거리 이용이 곤란하고, 2.5km 이내의 수송에 용이하다.
⑦ 가설 후 경로(Route) 변경이 곤란하고 설치 비가 높다.
⑧ 투입구를 이용한 범죄나 사고의 위험이 있다.

12. 적환장의 필요성

① 폐기물 수집장소와 처분장소가 멀리 떨어져 있는 경우
② 소용량 수집차량이 사용되는 경우
③ 상업지역에서 폐기물 수집에 소형용기를 사용하는 경우
④ 불법투기와 다량의 어질러진 쓰레기들이 발생하는 경우
⑤ 슬러지 수송이나 공기수송 방식을 사용할 때
⑥ 저밀도 주거지역이 존재하는 경우
⑦ 작은 규모의 주택들이 밀집되어 있을 때

13. 적환장의 특징

① 최종처리장과 수거지역의 거리가 먼 경우 사용하는 것이 바람직하다.
② 폐기물의 수거와 운반을 분리하는 기능을 한다.
③ 적환장에서 재사용 가능한 물질의 선별이 가능하다.
④ 변질되기 쉬운 쓰레기 수거에는 이용하지 않는 것이 좋다.
⑤ 적환장의 주요기능은 작은 용기로 수거한 쓰레기를 대형트럭에 옮겨 싣는 것이다.
⑥ 소규모 주택이 밀집되어 있을 때에는 적환장이 필요하다.
⑦ 적환장 설계시에는 주변 환경요건을 고려하여야 한다.
⑧ 적환장의 설치장소는 수거하고자 하는 개별적 고형폐기물 발생지역의 하중 중심과 되도록 가까운 곳이어야 한다.
⑨ 적환장은 소형수거를 대형수송으로 연결해 주는 곳이며, 효율적인 수송을 위하여 보조적인 역할을 수행한다.
⑩ 적환장을 시행하는 이유는 종말처리장이 대형화하여 폐기물의 운반거리가 연장되었기 때문이다.
⑪ 적환장은 소형차량에서 대형차량으로 적재하는 방식에 따라 직접투하방식, 저장투하방식, 직접·저장 결합방식이 있다.
⑫ 직접투하방식은 소형차량에서 대형차량으로 직접 투하하여 적재하는 방식이며, 주택지역과 거리가 먼 교외지역에 주로 사용하는 방식이다.
⑬ 저장투하방식은 폐기물을 저장한 후 적환하는 방식이며, 대도시의 대용량 폐기물처리에 적합하며, 수거차의 대기시간이 없이 빠른 시간 내에 적하를 마치므로 적환 내외의 교통체증현상을 없애주는 효과가 있다.
⑭ 직접·저장 투하 결합방식은 직접적재방식과 저장한 후 적재하는 방식으로 한 적환장에서 이루어지며, 부패성 폐기물은 직접 적재하고 재활용품이 많이 포함된 폐기물은 선별후 적재하는 방식으로 재활용품의 회수율을 높이기 위한 적재방식이다.

14. 청소상태의 평가법

① CEI : 청소상태 만족도 평가를 위한 지역사회 효과지수이다.
② USI : 서비스를 받는 시민들의 만족도를 설문조사하여 나타내어지는 사용자 만족도 지수이다.

15. 전과정평가(LCA)

① 사용하는 자원, 에너지, 환경에 미치는 각종 부하를 원료자원 채취-생산-유통-사용 재사용 폐기의 전과정에 걸쳐 가능한 정량적으로 분석 및 평가하여 현재 인류가 직면하고 있는 자원의 고갈 및 생태계의 파괴현상과 지구환경문제 등을 근본적으로 해결하기 위한 각종 개선방안을 모색하는 기술적이며 체계적인 과정을 의미한다.

② 전과정 평가의 순서는 목적 및 범위의 설정 → 목록 분석 → 영향 평가 → 개선평가 및 해석 순이다.

16. ESSD, EPR, 오염사건

① ESSD(Environmentally Sound and Sustainable Development)는 1992년 라우데자네이로에서 가진 유엔환경개발회의에서 대두된 용어(약자)로 [친환경적이면서 지속가능한 개발]이란 뜻을 가진다.

② 생산자책임 재활용제도(EPR : Extended Producer Responsibility)는 폐기물은 단순히 버려져 못쓰는 것이라는 인식을 바꾸어 '폐기물 = 자원'이라는 공감대를 확산시킴으로써 재활용정책에 활력을 불어 넣은 제도이다.

③ 바젤협약 : 유해폐기물의 국제적 이동의 통지와 규제를 주요 골자로 하는 국제협약이다.

④ 러브커넬 사건 : 유해폐기물의 불법매립 사건이다.

⑤ 우리나라 생활폐기물의 일일 발생량은 1.0kg/인 · 일이다.

⑥ 폐기물 관리에 있어서 가장 우선적으로 고려할 사항은 감량화이다.

⑦ 현재 우리나라에서 가장 많이 발생되는 생활폐기물은 음식물쓰레기류이다.

⑧ 현재 우리나라에서 발생되는 생활폐기물의 처리방법 중 가장 많이 사용되는 공법은 매립이다.

17. 폐기물의 감량 중 파쇄공정

① 파쇄시 작용하는 힘의 종류에는 충격력, 압축력, 전단력이 있다.

② 파쇄처리의 효과에는 겉보기 비중 증가(밀도증가), 비표면적 증가, 폐기물 소각시 연소효율 증가, 고가금속 회수가능, 운반비의 저렴화, 입경분포의 균일화, 유가물의 분리, 용적의 감소 등이 있다.

18. 파쇄하여 매립시 장점

① 매립작업이 용이하고 압축장비가 없어도 매립작업만으로 고밀도의 매립이 가능하다.
② 곱게 파쇄하면 매립시 복토가 필요없거나 복토요구량이 절감된다.
③ 폐기물 입자의 표면적이 증가되어 미생물의 작용이 빨라진다.
④ 매립시 폐기물이 잘 섞이므로 냄새가 방지된다.
⑤ 폐기물의 밀도가 증가하여 바람에 날아갈 염려가 적다.

19. 파쇄기 중 전단파쇄기

① 고정칼, 왕복 또는 회전칼과의 교합에 의하여 폐기물을 전단한다.
② 주로 목재류, 플라스틱류, 종이류를 파쇄하는데 이용된다.
③ 충격파쇄기에 비하여 파쇄속도가 느리고, 이물질 혼입에 약하다.
④ 충격파쇄기에 비하여 파쇄물의 크기를 고르게 할 수 있고, 소음과 분진발생이 비교적 적고 폭발의 위험성이 거의 없다.

20. 파쇄기 중 충격파쇄기

① 충격파쇄기는 주로 회전식에 적용한다.
② 대량처리가 가능하며, 연성이 있는 물질에는 부적합하다.
③ 유리나 목질류 파쇄에 적합하며, 파쇄시 분진, 소음, 진동, 폭발의 위험성이 있다.

21. 트롬멜(Trommel) 스크린의 운전조건

① 스크린 개방면적 : 53%
② 경사도 : 2~3도
③ 회전속도 : 11~13rpm
④ 길이 : 4.0m

22. 선별방법 중 트롬멜(Trommel) 스크린

① 스크린앞에 분쇄기를 두어 분리된 폐기물을 주입·분쇄함으로써 입도를 균일하게 한다.
② 회전속도가 증가하면 어느 정도까지는 선별효율이 증가하나 일정속도 이상이 되면 원심력에 의해 막힘현상이 일어난다.

③ 원통의 경사도가 크면 폐기물이 그냥 배출될 수 있으므로 효율이 낮아진다.
④ 최적회전속도는 임계회전속도 × 0.45이다.
⑤ 원통의 길이가 길면 효율은 증가하나 동력소요가 많다.
⑥ 트롬멜 스크린의 선별효율에 영향을 주는 인자에는 회전속도 , 폐기물 부하, 경사도, 체의 눈 크기, 길이, 직경 등이 있다.

23. 선별방법 중 세카터(Secators)

① 물렁거리는 가벼운 물질로부터 딱딱한 물질을 선별하는데 이용한다.
② 경사진 Conveyor를 통해 폐기물을 주입시켜 천천히 회전하는 드럼위에 떨어뜨려서 분류하는 선별장치이다.
③ 퇴비속의 유리나 돌 선별에 이용한다.

24. 선별방법 중 스토너(Stoners)

① Pneumatic Table 이라고도 한다.
③ 공기가 유입되는 다공진동판으로 구성되어 있으며, 중요한 운전변수는 다공판의 기울기와 공기의 유량이다.
② 약간 경사진판에 진동을 줄 때 무거운 것이 빨리 판의 경사면 위로 올라가는 원리를 이용한다.

25. 선별방법 중 테이블(Table) 선별법

① 각 물질의 비중차를 이용하는 방법이다.
② 약간 경사진 평판에 폐기물을 올려놓고 좌우로 빠른 진동과 느린 진동을 주면 가벼운 입자는 빠른 진동쪽으로, 무거운 입자는 느린 진동쪽으로 분류되는 방법이다.

26. 선별방법 중 손선별(Hand Separation)

① 컨베이어 벨트를 이용하여 손으로 종이류, 플라스틱류, 금속류, 유리류 등을 분류한다.
② 기계적인 선별보다 작업량은 감소할 수 있으나, 정확도가 증가한다.
③ 파쇄공정 유입 전 폭발가능성 있는 물질을 분류할 수 있다.
④ 작업효율은 0.5ton/인·시간 정도이다.
⑤ 9m/min 이하의 속도로 이동하는 컨베이어 벨트의 한쪽 또는 양쪽에서 사람이 서서 선별한다.

27. 선별방법 중 공기선별기(Air Separation)

① Zigzag 공기선별기는 칼럼 내 난류를 높여줌으로써 선별효율을 증진시키고자 고안된 형태이다.

② 공기선별기의 성능은 주입률이 커질수록 떨어지는 것으로 알려져 있다.

③ 경사공기선별기는 중력에 의해 입구로 들어온 폐기물을 진동판에 의하여 분리한다.

④ 공기선별은 폐기물내의 가벼운 물질인 종이나 플라스틱류를 기타 무거운 물질로부터 선별해 내는 방법이다.

28. 선별방법 중 자력선별(Magnetic Separation)

① 단위는 T(테슬라)이다.

② 별다른 동력이 소요되지 않으나 주입되는 폐기물의 양이 적어야 효과적이다.

③ 철 및 금속류 회수에 이용된다.

29. 선별방법 중 와전류 선별법

① 연속적으로 변화하는 자장속에 비자성이며, 전기전도성이 좋은 구리, 알루미늄, 아연 등을 넣어 금속내에 소용돌이 전류를 발생시켜 생기는 반발력의 차를 이용하여 분리하는 방법이다.

② 자력선을 도체가 스칠때에 진행방향과 직각방향으로 힘이 작용하는 것을 이용하며, 비자성이고 전기전도성이 우수한 금속을 와전류 현상에 의하여 다른 물질로부터 선별하는 방법이다.

③ 철금속(Fe)/비철금속(Al, Cu)/유리병의 3종류를 각각 분리할 수 있는 방법이다.

④ 금속과 비금속을 구분하여 폐기물 중 비철금속(Al, Ni, Zn) 등을 선별 회수하는 방법이다.

30. 선별방법 중 광학선별(Optical Sorter)

① 물질이 가진 광학적 특성의 차를 이용하여 분리하는 방법이다.

② 불투명한 것(돌, 코르크 등)과 투명한 것(유리 등)의 분리에 이용된다.

31. 유기성 폐기물을 이용하여 만들어진 퇴비의 특성

① 병원균이 거의 사멸된다.

② C/N비율이 10 전후(10~20)로 낮아지게 된다.

③ 악취가 없는 안정한 유기물이다.

④ 양이온교환능력과 수분보유능력이 우수하다.

⑤ 생산된 퇴비는 비료가치가 낮으며, 퇴비완성시 부피감소율이 50% 이하이다.

⑥ 초기시설 투자비가 낮고, 운영 시 소요 에너지도 낮은 편이다.

⑦ 다른 폐기물 처리기술에 비해 고도의 기술수준이 요구되지 않는다.

⑧ 퇴비제품의 품질표준화가 어렵고, 부지가 많이 필요한 편이다.

32. 유기성 폐기물 퇴비화 조작에서 환경변화인자

① 수분함량 : 50~60%

② pH : 6~8

③ C/N비 : 25~50

④ 적정입경 : 100~200mm

⑤ 온도 : 60~70℃

33. 폐기물관리법에서 사용하는 용어

① 폐기물 : 쓰레기, 연소재, 오니, 폐유, 폐산, 폐알칼리 및 동물의 사체 등으로서 사람의 생활이나 사업활동에 필요하지 아니하게 된 물질을 말한다.

② 생활폐기물 : 사업장폐기물 외의 폐기물을 말한다.

③ 사업장폐기물 :「대기환경보전법」,「물환경보전법」또는「소음·진동관리법」에 따라 배출시설을 설치·운영하는 사업장이나 그 밖에 대통령령으로 정하는 사업장에서 발생하는 폐기물을 말한다.

④ 지정폐기물 : 사업장폐기물 중 폐유·폐산 등 주변 환경을 오염시킬 수 있거나 의료폐기물 등 인체에 위해를 줄 수 있는 해로운 물질로서 대통령령으로 정하는 폐기물을 말한다.

⑤ 의료폐기물 : 보건·의료기관, 동물병원, 시험 검사기관 등에서 배출되는 폐기물 중 인체에 감염 등 위해를 줄 우려가 있는 폐기물과 인체 조직 등 적출물, 실험 동물의 사체 등 보건·환경보호상 특별한 관리가 필요하다고 인정되는 폐기물로서 대통령령으로 정하는 폐기물을 말한다.

⑥ 처리 : 폐기물의 수집, 운반, 보관, 재활용, 처분을 말한다.

⑦ 처분 : 폐기물의 소각·중화·파쇄·고형화 등의 중간처분과 매립하거나 해역으로 배출하는 등의 최종처분을 말한다.

⑧ 재활용 : 폐기물을 재사용·재생이용하거나 재사용·재생이용할 수 있는 상태로 만드는 활동이나 폐기물로부터「에너지법」에 따른 에너지를 회수하거

나 회수할 수 있는 상태로 만들거나 폐기물을 연료로 사용하는 활동으로서 환경부령으로 정하는 활동을 말한다.

⑨ 폐기물처리시설 : 폐기물의 중간처분시설, 최종처분시설 및 재활용시설로서 대통령령으로 정하는 시설을 말한다.

⑩ 폐기물감량화시설 : 생산 공정에서 발생하는 폐기물의 양을 줄이고, 사업장 내 재활용을 통하여 폐기물 배출을 최소화하는 시설로서 대통령령으로 정하는 시설을 말한다.

⑪ 의료폐기물 전용용기 : 의료폐기물로 인한 감염 등의 위해 방지를 위하여 의료폐기물을 넣어 수집·운반 또는 보관에 사용하는 용기를 말한다.

34. 폐기물관리법에 적용되지 않는 물질

① 원자력안전법에 따른 방사성 물질과 이로 인하여 오염된 물질

② 용기에 들어 있지 아니한 기체상태의 물질

③ 물환경보전법에 따른 수질오염 방지시설에 유입되거나 공공수역으로 배출되는 폐수

④ 가축분뇨의 관리 및 이용에 관한 법률에 따른 가축분뇨

⑤ 하수도법에 따른 하수·분뇨

⑥ 가축전염병예방법에 적용되는 가축의 사체, 오염 물건, 수입 금지 물건 및 검역 불합격품

⑦ 수산생물질병 관리법이 적용되는 수산동물의 사체, 오염된 시설 또는 물건, 수입금지물건 및 검역 불합격품

⑧ 군수품관리법에 따라 폐기되는 탄약

⑨ 동물보호법에 따른 동물장묘업의 등록을 한 자가 설치·운영하는 동물장묘 시설에서 처리되는 동물의 사체

35 폐기물 관리의 기본원칙

① 사업자는 제품의 생산방식 등을 개선하여 폐기물의 발생을 최대한 억제하고, 발생한 폐기물을 스스로 재활용함으로써 폐기물의 배출을 최소화하여야 한다.

② 누구든지 폐기물을 배출하는 경우에는 주변 환경이나 주민의 건강에 위해를 끼치지 아니하도록 사전에 적절한 조치를 하여야 한다.

③ 폐기물은 그 처리과정에서 양과 유해성을 줄이도록 하는 등 환경보전과 국민건강 보호에 적합하게 처리되어야 한다.

④ 폐기물로 인하여 환경오염을 일으킨 자는 오염된 환경을 복원할 책임을 지

며, 오염으로 인한 피해의 구제에 드는 비용을 부담하여야 한다.

⑤ 국내에서 발생한 폐기물은 가능하면 국내에서 처리되어야 하고, 폐기물의 수입은 되도록 억제되어야 한다.

⑥ 폐기물은 소각, 매립 등의 처분을 하기보다는 우선적으로 재활용함으로써 자원생산성의 향상에 이바지하도록 하여야 한다.

36. 지정폐기물의 종류 중 특정시설에서 발생되는 폐기물

① 폐합성 고분자화합물은 폐합성 수지(고체상태의 것은 제외), 폐합성 고무(고체상태의 것은 제외)를 말한다.

② 오니류(수분함량이 95퍼센트 미만이거나 고형물함량이 5퍼센트 이상인 것 한정)는 폐수처리 오니, 공정 오니, 폐농약(농약의 제조·판매업소에서 발생되는 것으로 한정)을 말한다.

③ 부식성 폐기물은 폐산(액체상태의 폐기물로서 수소이온 농도지수가 2.0 이하인 것으로 한정)과 폐알칼리(액체상태의 폐기물로서 수소이온 농도지수가 12.5 이상인 것으로 한정하며, 수산화칼륨 및 수산화나트륨을 포함)를 말한다.

③ 유해물질함유 폐기물은 광재(철광 원석의 사용으로 인한 고로슬래그는 제외), 분진(대기오염 방지시설에서 포집된 것으로 한정하되, 소각시설에서 발생되는 것은 제외), 폐주물사 및 샌드블라스트 폐사, 폐내화물 및 재벌구이 전에 유약을 바른 도자기 조각 등을 말한다.

37. 폐기물처리시설 중 중간처분시설 중 소각시설

① 일반 소각시설
② 고온 소각시설
③ 열분해시설(가스화시설을 포함)
④ 고온 용융시설
⑤ 열처리 조합시설

38. 폐기물처리시설 중 중간처분시설 중 기계적 처분시설

① 압축시설(동력 7.5kW 이상인 시설로 한정)
② 파쇄·분쇄 시설(동력 15kW 이상인 시설로 한정)
③ 절단시설(동력 7.5kW 이상인 시설로 한정)
④ 용융시설(동력 7.5kW 이상인 시설로 한정)
⑤ 증발·농축 시설

⑥ 정제시설(분리·증류·추출·여과 등의 시설을 이용하여 폐기물을 처분하는 단위시설을 포함)

⑦ 유수 분리시설

⑧ 탈수·건조 시설

⑨ 멸균·분쇄 시설

39. 폐기물처리시설 중 중간처분시설 중 화학적 처분시설

① 고형화·고화·안정화 시설

② 반응시설(중화·산화·환원·중합·축합·치환 등의 화학반응을 이용하여 폐기물을 처분하는 단위시설을 포함)

③ 응집·침전 시설

40. 폐기물처리시설 중 중간처분시설 중 생물학적 처분시설

① 소멸화 시설(1일 처분능력 100킬로그램 이상인 시설로 한정)

② 호기성·혐기성 분해시설

41. 폐기물 감량화시설의 종류

① 공정 개선시설

② 폐기물 재이용시설

③ 폐기물 재활용시설

④ 폐기물 감량화시설

42. 의료폐기물 중 위해의료폐기물

① 조직물류폐기물 : 인체 또는 동물의 조직·장기·기관·신체의 일부, 동물의 사체, 혈액·고름 및 혈액생성물(혈청, 혈장, 혈액제제)

② 병리계폐기물 : 시험·검사 등에 사용된 배양액, 배양용기, 보관균주, 폐시험관, 슬라이드, 커버글라스, 폐배지, 폐장갑

③ 손상성폐기물 : 주사바늘, 봉합바늘, 수술용 칼날, 한방침, 치과용침, 파손된 유리재질의 시험기구

④ 생물·화학폐기물 : 폐백신, 폐항암제, 폐화학치료제

⑤ 혈액오염폐기물 : 폐혈액백, 혈액투석 시 사용된 폐기물, 그 밖에 혈액이 유출될 정도로 포함되어 있어 특별한 관리가 필요한 폐기물

43. 의료폐기물 발생 의료기관 및 시험·검사기관

① 의료법에 따른 의료기관
② 지역보건법에 따른 보건소 및 보건지소
③ 농어촌 등 보건의료를 위한 특별조치법에 따른 보건진료소
④ 혈액관리법의 혈액원
⑤ 검역법에 따른 검역소 및 가축전염병예방법에 따른 동물검역기관
⑥ 수의사법에 따른 동물병원
⑦ 장사 등에 관한 법률에 따른 장례식장
⑧ 의료법에 따라 설치된 기업체의 부속 의료기관으로서 면적이 100제곱미터 이상인 의무시설
⑨ 국군의무사령부령에 따라 사단급 이상 군부대에 설치된 의무시설

44. 의료폐기물 전용용기 검사기관

① 한국환경공단
② 한국화학융합시험연구원
③ 한국건설생활환경시험연구원

45. 가연성 고형폐기물로부터 다음 각 목에 따른 기준에 맞게 에너지를 회수하는 활동

① 다른 물질과 혼합하지 아니하고 해당 폐기물의 저위발열량이 킬로그램당 3천 킬로칼로리 이상일 것
② 에너지의 회수효율(회수에너지 총량을 투입에너지 총량으로 나눈 비율)이 75퍼센트 이상일 것
③ 회수열을 모두 열원으로 스스로 이용하거나 다른 사람에게 공급할 것
④ 환경부장관이 정하여 고시하는 경우에는 폐기물의 30퍼센트 이상을 원료나 재료로 재활용하고 그 나머지 중에서 에너지의 회수에 이용할 것

46. 에너지회수기준을 측정하는 기관

① 한국환경공단
② 한국기계연구원
③ 한국산업기술시험원
④ 한국에너지기술연구원

47. 광역 폐기물처리시설의 설치·운영의 위탁에서 환경부령으로 정하는 자

① 한국환경공단
② 수도권매립지관리공사
③ 지방자치단체조합으로서 폐기물의 광역처리를 위하여 설립된 조합
④ 해당 광역 폐기물처리시설을 시공한 자(그 시설의 운영을 위탁하는 경우에만 해당)

48. 폐기물처리 신고자와 광역 폐기물처리시설 설치·운영자의 폐기물처리기간

① 폐기물처리 신고를 한 자(폐기물처리 신고자)와 광역 폐기물처리시설 설치·운영자(설치·운영을 위탁받은 자를 포함)는 환경부령으로 정하는 기간은 30일
② 폐기물처리 신고자가 고철을 재활용하는 경우에는 60일

49. 대통령령으로 정하는 음식물류 폐기물 배출자의 범위

① 식품위생법에 따른 집단급식소(사회복지사업법에 따른 사회복지시설의 집단급식소는 제외) 중 1일 평균 총급식인원이 100명 이상([유아교육법]에 따른 유치원에 설치된 집단급식소는 1일 평균 총급식인원이 200명 이상)인 집단급식소를 운영하는 자
② 식품위생법에 따른 식품접객업 중 사업장 규모가 200제곱미터 이상인 휴게음식점 영업 또는 일반음식점 영업을 하는 자.
③ 유통산업발전법에 따른 대규모 점포를 개설한 자

50. 폐기물 발생 억제 지침 준수의무 대상 배출자의 규모

① 최근 3년간의 연평균 배출량을 기준으로 지정폐기물을 100톤 이상 배출하는 자
② 최근 3년간의 연평균 배출량을 기준으로 지정폐기물 외의 폐기물을 1천톤 이상 배출하는 자

51. 폐기물처리업의 업종 구분과 영업 내용

① 폐기물 수집·운반업 : 폐기물을 수집하여 재활용 또는 처분 장소로 운반하거나 폐기물을 수출하기 위하여 수집·운반하는 영업

② 폐기물 중간처분업 : 폐기물 중간처분시설을 갖추고 폐기물을 소각 처분, 기계적 처분, 화학적 처분, 생물학적 처분, 그 밖에 환경부장관이 폐기물을 안전하게 중간처분할 수 있다고 인정하여 고시하는 방법으로 중간처분하는 영업

③ 폐기물 최종처분업 : 폐기물 최종처분시설을 갖추고 폐기물을 매립 등(해역 배출은 제외)의 방법으로 최종처분하는 영업

④ 폐기물 종합처분업 : 폐기물 중간처분시설 및 최종처분시설을 갖추고 폐기물의 중간처분과 최종처분을 함께 하는 영업

⑤ 폐기물 중간재활용업 : 폐기물 재활용시설을 갖추고 중간가공 폐기물을 만드는 영업

⑥ 폐기물 최종재활용업 : 폐기물 재활용시설을 갖추고 중간가공 폐기물을 폐기물의 재활용원칙 및 준수사항에 따라 재활용하는 영업

⑦ 폐기물 종합재활용업 : 폐기물 재활용시설을 갖추고 중간재활용업과 최종재활용업을 함께하는 영업

52. 폐기물의 처리에 관한 구체적 기준 및 방법

① 지정폐기물 수집·운반차량의 차체는 노란색으로 색칠하여야 한다.

② 지정폐기물의 수집·운반차량 적재함의 양쪽 옆면에는 지정폐기물 수집·운반차량, 회사명 및 전화번호를 잘 알아볼 수 있도록 붙이거나 표기하여야 한다. 이 경우 그 크기는 가로 100센티미터 이상, 세로 50센티미터 이상으로 하고, 검은색 글자로 하여 붙이거나 표기하되, 폐기물 수집·운반증을 발급하는 기관의 장이 인정하면 차량의 크기에 따라 붙이거나 표기하는 크기를 조정할 수 있다. 임시로 사용하는 운반차량의 경우에도 또한 같다.

③ 지정폐기물의 보관창고 표지판의 표지의 규격은 가로 60센티미터 이상× 세로 40센티미터 이상(드럼 등 소형용기에 붙이는 경우에는 가로 15센티미터 이상×세로 10센티미터이상)으로 하고 표지의 색깔은 노란색 바탕에 검은색 선 및 검은색 글자로 한다.

④ 의료폐기물 전용용기 중 봉투형 용기에는 그 용량의 75퍼센트 미만으로 의료폐기물을 넣어야 한다.

⑤ 봉투형 용기에 담은 의료폐기물의 처리를 위탁하는 경우에는 상자형 용기에 다시 담아 위탁하여야 한다.

⑥ 의료폐기물의 수집·운반차량의 차체는 흰색으로 색칠하여야 한다.

⑦ 의료폐기물의 수집·운반차량의 적재함의 양쪽 옆면에는 의료폐기물의 도형, 업소명 및 전화번호를, 뒷면에는 의료폐기물의 도형을 붙이거나 표기하되, 그 크기는 가로 100센티미터 이상, 세로 50센티미터 이상(뒷면의 경우 가로·세로 각각 50센티미터 이상)이어야 하며, 글자의 색깔은 녹색으로 하여야 한다.

53. 폐기물 수집·운반업의 변경허가

① 수집·운반대상 폐기물의 변경
② 영업구역의 변경
③ 주차장 소재지의 변경(지정폐기물을 대상으로 하는 수집·운반업만 해당)
④ 운반차량(임시차량은 제외)의 증차

54. 폐기물 중간처분업, 폐기물 최종처분업 및 폐기물 종합처분업의 변경허가

① 처분대상 폐기물의 변경
② 폐기물 처분시설 소재지의 변경
③ 운반차량(임시차량은 제외)의 증차
④ 폐기물 처분시설의 신설
⑤ 폐기물 처분시설의 증설, 개·보수 또는 그 밖의 방법으로 허가 또는 변경허가를 받은 처분용량의 100분의 30 이상의 변경(허가 또는 변경허가를 받은 후 변경되는 누계)
⑥ 매립시설 제방의 증·개축
⑦ 허용보관량의 변경

55. 폐기물 수집·운반업자가 임시보관장소에 폐기물을 보관하는 경우 처리기한

① 의료폐기물인 경우 냉장 보관할 수 있는 섭씨 4도 이하의 전용보관시설에서 보관하는 경우 : 5일 이내
② 의료폐기물 외의 폐기물 중 중량 450톤 이하이고 용적이 300세제곱미터 이하 : 5일 이내

56. 폐기물 재활용업자가 의료폐기물(태반으로 한정)을 보관하는 경우

① 폐기물 임시보관시설에 보관하는 경우 : 중량 5톤 미만, 5일 이내
② 그 밖의 경우 : 1일 재활용량의 7일분 보관량 이하, 7일 이내

57. 폐기물처리업의 변경신고

① 상호의 변경
② 대표자의 변경(권리·의무를 승계하는 경우는 제외)
③ 연락장소나 사무실 소재지의 변경
④ 임시차량의 증차 또는 운반차량의 감차
⑤ 재활용 대상 부지의 변경
⑥ 재활용 대상 폐기물의 변경
⑦ 폐기물 재활용 유형의 변경(재활용 또는 장소가 변경되지 않는 경우에만 해당)

58. 결격사유 : 폐기물처리업의 허가를 받을 수 없는 자

① 미성년자, 피성년후견인 또는 피한정후견인
② 파산선고를 받고 복권되지 아니한 자
③ 폐기물관리법을 위반하여 금고 이상의 실형을 선고받고 그 형의 집행이 끝나거나 집행을 받지 아니하기로 확정된 후 10년이 지나지 아니한 자
④ 폐기물관리법을 위반하여 금고 이상의 형의 집행유예를 선고받고 그 집행유예 기간이 끝난 날부터 5년이 지나지 아니한 자
⑤ 폐기물관리법을 위반하여 대통령령으로 정하는 벌금형 이상을 선고받고 그 형이 확정된 날부터 5년이 지나지 아니한 자
⑥ 폐기물처리업의 허가가 취소되거나 전용용기 제조업의 등록이 취소된 자로서 그 허가 또는 등록이 취소된 날부터 10년이 지나지 아니한 자

59. 환경부장관이나 시·도지사는 폐기물처리업자에게 영업의 정지를 명령하려는 때 그 영업의 정지가 다음 각 호의 어느 하나에 해당한다고 인정되면 그 영업의 정지를 갈음하여 대통령령으로 정하는 매출액에 100분의 5를 곱한 금액을 초과하지 아니하는 범위에서 과징금을 부과할 수 있다. 다만, 그 폐기물처리업가가 매출액이 없거나 산정하기 곤란한 경우로서 대통령령으로 정하는 경우에는 1억원을 초과하지 아니하는 범위에서 과징금을 부과할 수 있다.

60. 환경부령으로 정하는 규모의 폐기물처리시설

① 일반소각시설로서 1일 처분능력이 100톤(지정폐기물의 경우에는 10톤) 미만인 시설
② 고온소각시설·열분해시설·고온용융시설 또는 열처리조합시설로서 시간당 처분능력이 100킬로그램 미만인 시설
③ 기계적 처분시설 또는 재활용시설 중 증발·농축·정제 또는 유수분리시설로서 시간당 처분능력 또는 재활용능력이 125킬로그램 미만인 시설
④ 기계적 처분시설 또는 재활용시설 중 압축·압출·성형·주조·파쇄·분쇄·탈피·절단 ·용융·용해·연료화·소성(시멘트 소성로는 제외) 또는 탄화시설로서 1일 처분능력 또는 재활용능력이 100톤 미만인 시설
⑤ 기계적 처분시설 또는 재활용시설 중 탈수·건조시설, 멸균분쇄시설 및 화학적 처분시설 또는 재활용시설
⑥ 생물학적 처분시설 또는 재활용시설로서 1일 처분능력 또는 재활용 능력이 100톤 미만인 시설
⑦ 소각열회수시설로서 1일 재활용능력이 100톤 미만인 시설

61. 폐기물 처분시설 또는 재활용시설의 설치기준 중 중간처분시설 중 고온소각시설

① 2차 연소실의 출구온도는 섭씨 1,100도 이상이어야 한다.
② 2차 연소실은 연소가스가 2초 이상 체류할 수 있고, 충분하게 혼합될 수 있는 구조이어야 한다. 이 경우 체류시간은 섭씨 1,100도에서의 부피로 환산한 연소가스의 체적으로 계산한다.
③ 고온소각시설에서 배출되는 바닥재의 강열감량이 5퍼센트 이하가 될 수 있는 소각 성능을 갖추어야 한다.
④ 1차 연소실에 접속된 2차 연소실을 갖춘 구조이어야 한다.

62. 폐기물 처분시설 또는 재활용시설의 설치기준 중 중간처분시설 중 고온용융시설

① 고온용융시설의 출구온도는 섭씨 1,200도 이상이 되어야 한다.
② 고온용융시설에서 연소가스의 체류시간은 1초 이상이어야 하고 충분하게 혼합될 수 있는 구조이어야 한다. 이 경우 체류시간은 섭씨 1,200도에서의 부피로 환산한 연소가스의 체적으로 계산한다.
③ 고온용융시설에서 배출되는 잔재물의 강열감량은 1퍼센트 이하가 될 수 있

는 성능을 갖추어야 한다.

63. 환경부령으로 정하는 검사기관

① 소각시설의 검사기관 : 한국환경공단, 한국기계연구원, 한국산업기술시험원
② 매립시설의 검사기관 : 한국환경공단, 한국건설기술연구원, 한국농어촌공사, 수도권매립지관리공사
③ 멸균분쇄시설의 검사기관 : 한국환경공단, 보건환경연구원, 한국산업기술시험원
④ 음식물류 폐기물 처리시설의 검사기관 : 한국환경공단, 한국산업기술시험원
⑤ 시멘트 소성로의 검사기관 : 한국환경공단, 한국기계연구원, 한국산업기술시험원
⑥ 소각열회수의 검사기관 : 한국환경공단, 한국기계연구원, 한국에너지기술연구원, 한국산업기술시험원

64. 관리형 매립시설의 침출수 관리기준

구분	생물화학적 산소요구량 (mg/L)	화학적 산소요구량 (mg/L)	부유물질량 (mg/L)
청정지역	30	200	30
가지역	50	300	50
나지역	70	400	70

65. 환경부령으로 정하는 오염물질의 측정기관

① 보건환경연구원
② 한국환경공단
③ 수질오염물질 측정대행업의 등록을 한 자
④ 수도권매립지관리공사
⑤ 폐기물분석전문기관

66. 주변지역 영향 조사대상 폐기물처리시설

① 1일 처분능력이 50톤 이상인 사업장폐기물 소각시설(같은 사업장에 여러 개의 소각시설이 있는 경우에는 각 소각시설의 1일 처분능력의 합계가 50톤 이상인 경우)
② 매립면적 1만 제곱미터 이상의 사업장 지정폐기물 매립시설
③ 매립면적 15만 제곱미터 이상의 사업장 일반폐기물 매립시설
④ 시멘트 소성로(폐기물을 연료로 사용하는 경우로 한정)
⑤ 1일 재활용능력이 50톤 이상인 사업장폐기물 소각열회수시설(같은 사업장에 여러 개의 소각열회수시설이 있는 경우에는 각 소각열회수시설의 1일 재활용능력의 합계가 50톤 이상인 경우)

67. 폐기물처리시설 주변지역 영향조사 기준

① 조사횟수 : 각 항목당 계절을 달리하여 2회 이상 측정하되, 악취는 여름(6월부터 8월까지)에 1회 이상 측정하여야 한다.
② 미세먼지와 다이옥신 조사지점은 해당 시설에 인접한 주거지역 중 3개소 이상 지역의 일정한 곳으로 한다.
③ 악취 조사지점은 매립시설에 가장 인접한 주거지역에서 냄새가 가장 심한 곳으로 한다.
④ 지표수 조사지점은 해당 시설에 인접하여 폐수, 침출수 등이 흘러들거나 흘러들 것으로 우려되는 지역의 상·하류 각 1개소 이상의 일정한 곳으로 한다.
⑤ 지하수 조사지점은 매립시설의 주변에 설치된 3개의 지하수 검사정으로 한다.
⑥ 토양 조사지점은 4개소 이상으로 하고, 토양정밀조사의 방법에 따라 폐기물 매립 및 재활용 지역의 시료채취 지점의 표토와 심토에서 각각 시료를 채취해야 하며, 시료채취 지점의 지형 및 하부토양의 특성을 고려하여 시료를 채취해야 한다.

68. 기술관리인을 두어야 할 폐기물처리시설 중 대통령령으로 정하는 폐기물처리시설

① 지정폐기물을 매립하는 시설로서 면적이 3천300 제곱미터 이상인 시설. 다만 최종처분시설 중 차단형 매립시설에서는 면적이 330 제곱미터 이상이거나 매립용적이 1천 세제곱미터 이상인 시설로 한다.
② 지정폐기물 외의 폐기물을 매립하는 시설로서 면적이 1만 제곱미터 이상이거나 매립용적이 3만 세제곱미터 이상인 시설

③ 소각시설로서 시간당 처분능력이 600킬로그램(의료폐기물을 다상으로 하는 소각시설의 경우에는 200킬로그램) 이상인 시설

④ 압축·파쇄·분쇄 또는 절단시설로서 1일 처분능력 또는 재활용능력이 100톤 이상인 시설

⑤ 사료화·퇴비화 또는 연료화시설로서 1일 재활용능력이 5톤 이상인 시설

⑥ 멸균분쇄시설로서 시간당 처분능력이 100킬로그램 이상인 시설

⑦ 시멘트 소성로

⑧ 용해로(폐기물에서 비철금속을 추출하는 경우로 한정)로서 시간당 재활용능력이 600킬로그램 이상인 시설

⑨ 소각열회수시설로서 시간당 재활용능력이 300킬로그램 이상인 시설

69. 기술관리대행자

① 한국환경공단

② 엔지니어링사업자

③ 기술사사무소(자격을 가진 기술사가 개설한 사무소로 한정)

70. 기술관리인의 자격기준

구분		자격기준
폐기물 처분 시설 또는 재활용 시설	매립시설	폐기물처리기사, 수질환경기사, 토목기사, 일반기계기사, 건설기계설비기사, 화공기사, 토양환경기사 중 1명 이상
	소각시설(의료폐기물을 대상으로 하는 소각시설은 제외), 시멘트 소성로, 용해로 및 소각열회수시설	폐기물처리기사, 대기환경기사, 토목기사, 일반기계기사, 건설기계설비기사, 화공기사, 전기기사, 전기공사기사 중 1명 이상
	의료폐기물을 대상으로 하는 시설	폐기물처리산업기사, 임상병리사, 위생사 중 1명 이상
	음식물류 폐기물을 대상으로 하는 시설	폐기물처리산업기사, 수질환경산업기사, 화공산업기사, 토목산업기사, 대기환경산업기사, 일반기계기사, 전기기사 중 1명 이상

71. 방치폐기물의 처리량과 처리기간

① 폐기물처리업자가 방치한 폐기물의 경우 : 그 폐기물처리업자의 폐기물 허용 보관량의 2배 이내
② 폐기물처리 신고자가 방치한 폐기물의 경우 : 그 폐기물처리 신고자의 폐기물 보관량의 2배 이내
③ 처리기간 : 2개월, 1개월 범위안에서 기간연장

72. 시험 및 분석기관

① 국립환경과학원
② 보건환경연구원
③ 유역환경청 또는 지방환경청
④ 한국환경공단
⑤ 석유 및 석유대체연료 사업법에 따른 한국석유관리원 및 산업통상자원부장관이 지정하는 기관
⑥ 비료관리법 시행규칙에 따른 시험연구기관
⑦ 수도권매립지관리공사
⑧ 전용용기 검사기관(전용용기에 대한 시험분석으로 한정)

73. 폐기물처리업자나 폐기물처리 신고자가 휴업·폐업 또는 재개업을 한 경우에는 휴업·폐업 또는 재개업을 한 날부터 20일 이내에 서류를 첨부하여 시·도지사나 지방환경관서의 장에게 제출하여야 한다.

74. 폐기물 인계·인수 내용의 입력방법 및 절차

① 폐기물 인계·인수에 관한 내용은 컴퓨터, 이동형 통신수단, 전산처리기구의 ARS 중 하나에 해당하는 매체를 이용한 방법으로 전자정보처리프로그램에 입력하여야 한다.
② 운반자는 배출자로부터 폐기물을 인수받은 날부터 2일 이내에 전달받은 인계번호를 확인하여 전자정보처리프로그램에 입력하여야 한다.
③ 처리자는 운반자로부터 폐기물을 인수한 때에는 인수한 날부터 2일 이내에 인계번호, 인계일자, 인수량 등을 전자정보처리프로그램에 입력하여야 한다.

75. 폐기물매립시설의 사후관리 업무를 대행할 수 있는 자는 한국환경공단법에 따른 한국환경공단이다.

76. 폐기물처리 신고자의 준수사항

① 폐기물처리 신고자는 폐기물의 재활용을 위탁한 자와 폐기물 위탁재활용 (운반)계약서를 작성하고, 그 계약서를 3년간 보관하여야 한다.
② 위탁받은 폐기물을 재위탁하거나 재위탁받아서는 아니 된다.
③ 자신의 재활용시설에서 재활용할 수 없는 폐기물을 위탁받거나 재활용능력을 초과하여 폐기물을 위탁받아서는 아니 된다.
④ 허용보관량을 초과하여 폐기물을 보관하거나 보관시설 외의 장소에 폐기물을 보관하여서는 아니된다.
⑤ 수집·운반 및 재활용할 수 있는 능력의 초과, 휴업이나 폐업 등 정당한 사유 없이 배출자가 요청한 폐기물의 수탁을 거부하여서는 아니 된다.
⑥ 정당한 사유 없이 계속하여 1년 이상 휴업하여서는 아니 된다.
⑦ 처리금지, 휴업신고 또는 폐업신고 등으로 폐기물을 수집·운반하지 아니할 때에는 발급받은 폐기물 수집·운반증을 시·도지사에게 반납하여야 한다.

77. 사후관리기준 및 방법

① 사후관리 기간은 사용종료 또는 폐쇄신고를 한 날부터 30년 이내로 한다.
② 발생가스 관리방법(유기성폐기물을 매립한 폐기물매립시설만 해당)은 외기 온도, 가스온도, 메탄, 이산화탄소, 암모니아, 황화수소 등의 조사항목을 매립종료 후 5년까지는 분기1회 이상, 5년이 지난 후에는 연 1회 이상 조사 하여야 한다.

폐기물 재활용 및 자원화 기술

1. 혐기성 소화법의 정상적인 작동여부 확인시 조사항목

① 소화가스량
② pH
③ 소화가스 중 메탄과 이산화탄소 함량
④ 온도
⑤ 유기산 농도
⑥ 소화시간

2. 혐기성 소화

① 호기성처리에 비해 탈수성이 양호하고, 슬러지가 적게 발생한다.
② 동력시설의 소모가 적어 운전비용이 저렴하고, 고농도 폐수처리에 적합하다.
③ 회수된 가스를 연료로 사용 가능하고, 소화슬러지의 탈수 및 건조가 양호하다.
④ 운전이 어렵고 반응시간도 길다.
⑤ 소화가스는 냄새가 나며 부식이 높은 편이다.

3. 고농도 액상 폐기물의 혐기성 소화 공정 중 중온소화와 고온소화 비교

	고온소화	중온소화
부하능력	우수	나쁘다
탈수여액의 수질	나쁘다	우수
병원균 사멸	유리	불리
미생물의 활성	나쁘다	우수

4. 호기성 소화

① 운전이 용이하고, 단시간에 소화가 가능하다.
② 비료가치가 크고, 상층액의 BOD 농도가 낮다.
③ 비교적 운전이 쉽고 상징수의 수질도 양호하다.

④ 동력이 많이 소요되고, 소화슬러지 발생량이 많고 탈수성이 불량하다.

5. 슬러지 개량

① 슬러지 개량의 목적은 슬러지의 탈수성을 향상시키고, 탈수시 약품소모량을 줄이고, 탈수시 소요동력을 줄이고, 슬러지를 안정화 시킨다.
② 슬러지의 개량방법에는 슬러지 세정법, 약품 처리법, 열 처리법, 생물학적 처리법이 있다.
③ 농축슬러지나 소화슬러지는 여러 유기물과 형상이 다양한 미서 고형물 및 콜로이드로 구성되고, 물과 강한 친화력으로 탈수가 쉽지 않으므로 슬러지를 개량한다.
④ 진공여과기로 슬러지 탈수시, 슬러지 개량어 투입하는 응집제는 무기계통의 응집제를 사용한다.

6. 용매추출방법의 적용대상 폐기물

① 미생물에 의해 분해가 어려운 물질을 처리할 경우
② 활성탄을 이용하기에는 농도가 너무 높은 믈질을 처리할 경우
③ 낮은 휘발성으로 인해 Stripping(액체 중에 용해되어 있는 기체 또는 증기를 분리 또는제거하는 것을 말한다.)하기가 곤란한 물질을 처리할 경우
④ 물에 대한 용해도가 낮은 물질을 처리할 경우

7. 용매추출법에 이용 가능성이 높은 폐기물의 조건

① 높은 분배계수를 가질 것
② 낮은 끓는점을 가질 것
③ 물에 대한 용해도가 낮을 것
④ 밀도가 물과 다를 것

8. Fenton(펜턴) 산화법

① Fenton액은 촉매(철염)과 펜턴시약(과산화수소수)를 포함한다.
② 최적반응을 위해 침출수 pH를 3~5로 조정한다.
③ Fenton액을 첨가하여 난분해성 유기물질(NEDCOD)을 산화하여 생분해성 유기물질(BDCOD)로 변화시킨다. (COD는 감소하고 BOD는 증가한다.)
④ 슬러지 생산량이 많아질 수 있다.
⑤ 처리시설은 pH조절조, 중화 및 응집조, 침전조로 구성되어 있다.

9. 습식 고온 고압 산화처리법(Zimmerman 공법)

① 액상슬러지에 열과 압력을 작용시켜 용존산소에 의하여 화학적으로 슬러지 내의 유기물을 산화시키는 방법이다.
② 투자, 유지비가 높고, 시설의 수명이 짧으며 질소의 제거율이 낮다.
③ 장치의 주요기기는 공기압축기, 고압펌프, 열교환기 등이다.

10. 표준활성슬러지법(재래식 활성슬러지법)

① MLSS : 1,500~2,500mg/L
② F/M비 : 0.2~0.4/day
③ HRT(수리학적 체류시간) : 6~8hr
④ SRT(미생물 체류시간) : 3~6day
⑤ 반응조 수심 : 4~6m

11. 미생물의 에너지원과 탄소원

분류	에너지원	탄소원
광합성 독립(자가) 영양 미생물	빛	CO_2
화학합성 독립(자가) 영양 미생물	무기물의 산화·환원 반응	CO_2
광합성 종속(타가) 영양 미생물	빛	유기탄소
화학합성 종속(타가) 영양 미생물	유기물의 산화·환원 반응	유기탄소

12. 유해폐기물을 고형화하는 목적

① 폐기물을 다루기가 용이하다.
② 폐기물내 오염물질의 용해도가 감소한다.
③ 폐기물 표면적의 감소에 따른 폐기물 성분의 손실을 줄인다.
④ 폐기물의 독성이 감소한다.

13. 유기성 고형화 방법

① 수밀성이 크며 다양한 폐기물에 적용할 수 있다.
② 방사성 폐기물 처리에 적용된다.
③ 최종 고화체의 체적 증가가 다양하다.
④ 처리비용이 고가이다.

⑤ 미생물 및 자외선에 대한 안정성이 약하다.
⑥ 상업화된 처리법의 현장자료가 빈약하다.
⑦ 고도의 기술이 필요하며 촉매 등 유해물질이 사용된다.

14. 무기성 고형화 방법

① 처리비용이 싸다.
② 장기적으로 안정성이 지속된다.
③ 고화재료 구입이 용이하며, 재료가 무독성이다.
④ 상온, 상압에서 처리가 용이하다.
⑤ 수용성이 작고, 수밀성이 양호하다.
⑥ 다양한 산업폐기물에 적용할 수 있다.
⑦ 고형화재료에 따라 고화체의 체적 증가가 다양하다.

15. 고화처리방법 중 시멘트 기초법

① 다양한 폐기물을 처리할 수 있다.
② 폐기물의 건조 또는 탈수가 필요없다.
③ 가장 널리 사용되는 방법 중의 하나로 포틀랜드 시멘트를 이용한다.
④ 고농도 중금속 폐기물에 적합하다.
⑤ 가장 흔히 사용되는 보통 포틀랜드 시멘트의 주성분은 석회(CaO), 규산(SiO_2)이다.
⑥ 낮은 pH에서 폐기물 성분의 용출가능성이 있다.

16. 고화처리방법 중 석회 기초법

① 석회의 가격이 싸고 널리 이용되고 있다.
② 탈수가 필요하지 않은 경우가 많다.
③ 석회-포졸란 화학반응이 간단하고 용이하다.
④ 두 가지 폐기물을 동시에 처리할 수 있다.
⑤ pH가 낮을 경우 폐기물 성분의 용출가능성이 증가한다.

17. 고화처리방법 중 자가시멘트법

① 혼합률(MR)이 낮고, 중금속 저지에 효과적이다.
② 탈수 등의 전처리가 필요없다.
③ 고농도 황화물 함유 폐기물에 적용한다.

④ 보조에너지가 필요하다.
⑥ 장치비가 크며 숙련된 기술을 요한다.

18. 고화처리방법 중 열가소성 플라스틱법

① 용출손실률은 시멘트기초법에 비해 매우 낮다.
② 대부분의 매트릭스 물질은 수용액의 침투에 저항성이 매우 크다.
③ 고화처리된 폐기물성분을 나중에 회수하여 재활용 할 수 있다.
④ 혼합률(MR)이 비교적 높다.
⑤ 높은 온도에서 분해되는 물질에는 사용할 수 없다.
⑥ 처리과정에서 화재의 위험성이 있다.
⑦ 에너지 요구량이 크고, 폐기물을 건조시켜야 한다.

19. 토양오염

① 토양오염은 대기, 수질, 폐기물 등 1차 오염물질에 의한 축적성 오염이다.
② 오염경로의 다양성
③ 피해발현의 완만성 및 만성적인 형태
④ 타 환경인자와의 영향관계의 모호성
⑤ 오염(영향)의 국지성 및 비인지성
⑥ 원상복구가 어렵다.

20. 토양의 층위

① O층위(유기물층) : 낙엽 등이 부패하여 퇴적된 층
② A층위(표층) : 생물의 활동이 가장 활발한 층
③ B층위(집적층) : 표층에서 용탈된 물질이 집적
④ C층위(모재층) : 풍화작용으로 인한 거친 암석의 모재층
⑤ R층위(기반암층)

21. 토양수분의 물리학적 분류

① 흡습수는 pF 4.5 이상으로 강하게 흡착되어 있으며, 식물이 직접 이용할 수 없다.

② 결합수는 토양 분자 중에 존재하는 수분으로 화학적으로 결합되어 있으며, pF는 7.0 이상으로 식물의 성장에 직접 이용될 수 없는 물이다.

③ 모세관수는 중력수 외부에 표면장력과 중력이 평형을 유지하며 존재하는 물이며, pF는 2.7~4.2 정도이며, 식물에 의해 이용되는 수분이다.

④ 중력수는 토양입자에서 유리되어 토양입자 사이를 이동하거나 지하로 침투되는 수분이며, pF는 2.54 이하이며, 토양수분장력이 가장 낮은 물이다.

22. 토양공기의 조성

① 토양성분과 식물양분에 산화적 변화를 일으키는 원인이 된다.

② 대기에 비하여 토양공기에 수증기의 함량이 높다.

③ 토양이 깊어질수록 토양공기내 산소량은 감소한다.

④ 대기에 비하여 토양공기내 탄산가스의 함량은 높은 편이다.

⑤ 대기에 비하여 토양공기내 산소의 함량은 낮은 편이다.

23. 토양처리방법 중 토양증기추출법(Soil Vaper Extraction : SVE)

① 압력 및 농도구배를 형성하기 위하여 추출정을 굴착하여 진공상태로 만들어 줌으로써 토양내의 휘발성 오염물질을 후발, 추출하는 기술이다.

② 굴착이 필요없고, 짧은 시간에 설치할 수 있으며, 분해에 소요되는 시간이 짧다.

③ 결과를 즉시 알 수 있고, 지하수의 깊이에 제한을 받지 않는다.

④ 다른 시약이 필요없고, 유지 및 관리비가 적게 소요된다.

⑤ 오염물질의 독성은 처리후에도 변화가 없다.

⑥ 증기압이 낮은 오염물질의 제거효율이 낮다.

⑦ 추출된 기체는 대기오염 방지를 위하여 후처리가 필요하다.

⑧ 지반구조가 복잡하여 총 처리시간을 예측하기가 어렵다.

24. 토양처리방법 중 토양세척법(Soil Washing Treatment)

① 비휘발성 물질, 생물학적으로 분해성 물질, 중금속 등에 적용된다.
② 광범위한 지역에 균일한 적용이 가능하고, 에너지 소모가 적고, 처리비용 이 싸다.
③ 처리효과가 가장 높은 토양입경은 자갈이다.
④ 비수용성 유기용매에 적용이 어렵다.
⑤ 점토와 같이 미세입자에 흡착된 유기오염물질의 처리효과는 매우 낮다.

25. 토양처리방법 중 바이오벤팅(Bioventing)

① 휘발성이 강하거나 분자량이 큰 유기물질을 처리할 수 있다.
② 불포화 토양층내에 산소를 공급하여 미생물의 분해를 통해 유기물질을 처리한다.
③ 주로 불포화층에 적용한다.
④ 기술 적용시에는 대상부지에 대한 정확한 산소 소모율의 산정이 중요하다.
⑤ 토양 투수성은 공기를 토양 내에 강제 순환시킬 때 매우 중요한 영향인자이다.
⑥ 배출가스 처리의 추가비용이 없고, 장치가 간단하고 설치가 용이하다.

1. 폐기물공정시험기준 총칙

① 백분율(Parts Per Hundred)은 W/V%(용액 100mL 중 성분무게(g), 또는 기체 100mL 중의 성분무게(g)), V/V%(용액 100mL 중 성분용량(mL), 또는 기체 100mL 중 성분용량(mL)), V/W%(용액 100g 중 성분용량(mL)), W/W%(용액 100g 중 성분무게(g)), 용액의능도를 "%"로만 표시할 때는 W/V% 로 나타낸다.

② 천분율(ppt)을 표시할 때는 g/L, g/kg의 기호를 사용하고, 백만분율(ppm)을 표시할 때는mg/L, mg/kg의 기호를 사용하고, 십억분율(ppb)을 표시할 때는 μg/L, μg/kg의 기호를 쓰며, 1ppm의 1/1,000이다.

④ 표준온도 : 0℃, 상온 : 15~25℃, 실온 : 1~35℃, 찬곳 : 0~15℃, 냉수 : 15℃ 이하, 온수 : 60~70℃, 열수 : 약 100℃이다.

⑤ 각각의 시험은 따로 규정이 없는 한 상온에서 조작하고 조작 직후에 그 결과를 관찰한다. 단, 온도의 영향이 있는 것으 판정은 표준온도를 기준으로 한다.

⑥ 액상폐기물 : 고형물의 함량이 5% 미만

⑦ 반고상폐기물 : 고형물의 함량이 5% 이상 15% 미만

⑧ 고상폐기물 : 고형물의 함량이 15% 이상

⑨ 함침성 고상폐기물 : 종이, 목재 등 기름을 흡수하는 변압기 내부부재(종이, 나무와 금속이 서로 혼합되어 있어 분리가 어려운 경우를 포함)틀 말한다.

⑩ 비함침성 고상폐기물 : 금속판, 구리선 등 기름을 흡수하지 않는 평면 또는 비평면형태의 변압기 내부부재를 말한다.

⑪ 즉시 : 30초 이내에 표시된 조작을 하는 것

⑫ 감압 또는 진공 : 따로 규정이 없는 한 15mmHg 이하

⑬ 바탕시험을 하여 보정한다 : 시료에 대한 처리 및 측정을 할 때, 시료를 사용하지 않고 같은 방법으로 조작한 측정치를 빼는 것

⑭ 방울수 : 20℃에서 정제수 20방울을 적하할 대, 그 부피가 약 1mL 되는 것

⑮ 항량으로 될 때까지 건조한다 : 같은 조건에서 1시간더 건조할 때 전후 무게의 차가 g당 0.3mg 이하일 때를 말한다.

⑯ 정밀히 단다 : 규정된 양의 시료를 취하여 화학저울 또는 미량저울로 칭량함

⑰ **정확히 단다** : 규정된 수치의 무게를 0.1mg까지 다는 것
⑱ **정확히 취하여** : 규정한 양의 액체를 홀피펫으로 눈금까지 취하는 것
⑲ **정량적으로 씻는다** : 어떤 조작으로부터 다음 조작으로 넘어갈 때 사용한 비커, 플라스크 등의 용기 및 여과막 등에 부착한 정량대상 성분을 사용한 용매로 씻어 그 씻어낸 용액을 합하고 먼저 사용한 같은 용매를 채워 일정 용량으로 하는 것
⑳ **약** : 기재된 양에 대하여 ±10% 이상의 차가 있어서는 안된다.
㉑ 밀폐용기는 이물질, 기밀용기는 공기 또는 다른 가스, 밀봉용기는 기체 또는 미생물, 차광용기는 광선을 차단하는 용기이다.

2. 시료 용기

① 채취용기는 시료를 변질시키거나 흡착하지 않는 것이어야 하며 기밀하고 누수나 흡습성이 없어야 한다.
② 시료용기는 무색경질의 유리병 또는 폴리에틸렌병, 폴리에틸렌백을 사용한다.
③ 노말헥산 추출물질, 유기인, 폴리클로리네이티드비페닐(PCBs) 및 휘발성 저급 염소화 탄화수소류는 갈색경질 유리병만 사용하여야 한다.
④ 시료 중에 다른 물질의 혼입이나 성분의 손실을 방지하기 위하여 밀봉할 수 있는 마개를 사용하며 코르크 마개를 사용하여서는 안된다. 다만, 고무나 코르크 마개에 파라핀지, 유지 또는 셀로판지를 씌워 사용할 수도 있다.
⑤ 시료용기에는 폐기물의 명칭, 대상 폐기물의 양, 채취장소, 채취시간 및 일기, 시료번호, 채취책임자 이름, 시료의 양, 채취방법, 기타 참고자료(보관상태 등)를 기재한다.

3. 시료의 채취방법

① 대형의 고형화물로써 분쇄가 어려울 경우에는 임의의 5개소에서 채취하여 각각 파쇄하여 100g씩 균등 양 혼합하여 채취한다.
② 공정상 비산방지나 냉각을 목적으로 소각재에 물을 분사하는 경우를 제외하고는 가급적 물을 분사하기 전에 시료를 채취한다. 다만 부득이하게 수분이 함유된 상태에서 시료를 채취할 경우에는 가능한 한 수분을 줄여서 채취한다.
③ 연속식 연소방식의 소각재 반출설비에서 채취하는 경우 바닥재 저장조에서는 부설된 크레인을 이용하여 채취하고, 비산재 저장조에서는 낙하구 밑에서 채취하며, 소각재가 운반차량에 적재되어 있는 경우에는 적재 차량에서 채취하는 것을 원칙으로 하고, 부지내에 야적되어 있는 경우에는 야적더미

에서 각 층별로 채취하는 것을 원칙으로 한다.

④ 소각재가 적재되어 있는 운반차량에서 시료를 채취하는 경우 5톤 미만의 차량에 적재되어 있을 때에는 적재폐기물을 평면상에서 6등분한 후 각 등분마다 시료를 채취한다. 반면, 5톤 이상의 차량에 적재되어 있을 때에는 적재폐기물을 평면상에서 9등분한 후 각 등분마다 시료를 채취한다.

⑤ 회분식 연소방식의 소각재 반출설비에서 채취하는 경우에는 하루 동안의 운전횟수에 따라 매 운전시마다 2회 이상 채취하는 것을 원칙으로 하고, 시료의 양은 1회에 500g 이상으로 한다.

⑥ 시료의 양은 1회에 100g 이상 채취한다. 다만, 소각재의 경우에는 1회에 500g 이상을 채취한다.

4. 시료의 분할채취방법

① 구획법은 모아진 대시료를 네모꼴로 엷게 균일한 두께로 펴고, 이것을 가로 4등분 세로 5등분하여 20개의 덩어리로 나눈 다음 20개의 각 부분에서 균등량씩을 취하여 혼합하여 하나의 시료로 한다.

② 교호삽법은 분쇄한 대시료를 단단하고 깨끗한 평면위에 원추형으로 쌓고, 원추를 장소를 바꾸어 다시 쌓고, 원추에서 일정량을 취하여 장방형으로 도포하고 계속해서 일정량을 취하여 그 위에 입체로 쌓고, 육면체의 측면을 교대로 돌면서 균등량씩을 취하여 두개의 원추를 쌓고, 하나의 원추는 버리고 나머지 원추를 앞의 조작을 반복하면서 적당한 크기까지 줄인다.

③ 원추 4분법은 분쇄한 대시료를 단단하고 깨끗한 평면위에 원추형으로 쌓아 올린 다음, 앞의 원추를 장소를 바꾸어 다시 쌓고, 원추의 꼭지를 수직으로 눌러서 평평하게 만들고 이것을 부채꼴로 사등분하고, 마주보는 두 부분을 취하고 반은 버리고, 반으로 준 시료를 앞의 조작을 반복하여 적당한 크기까지 줄인다.

5. 용출 시험방법

① 시료의 조제방법에 따라 조제한 시료 100g 이상을 정확히 달아 정제수에 염산을 넣어 pH를 5.8~6.3으로 한 용매(mL)를 시료 : 용매 = 1 : 10(W : V)의 비로 2,000mL 삼각플라스크에 넣어 혼합한다.

② 시료용액의 조제가 끝난 혼합액을 상온, 상압에서 진탕회수가 매분 당 약 200회, 진폭이 4~5cm의 왕복진탕기(수평인 것)를 사용하여 6시간 동안 연속 진탕한다.

③ $1.0\mu m$의 유리섬유 여과지로 여과하고 여과액을 적당량 취하여 용출실험용

시료용액으로 한다.

④ 여과가 어려운 경우에는 원심분리기를 사용하여 매분당 3,000회전 이상으로 20분 이상 원심분리한 다음 상징액을 적당량 취하여 용출실험용 시료용액으로 한다.

⑤ 실험결과의 보정(시료의 함수율 85% 이상인 경우)

$$보정계수 = \frac{15}{100 - 시료의 함수율(\%)}$$

6. 산분해법

① 질산 분해법은 유기물 함량이 낮은 시료에 적용한다.

② 질산-염산 분해법은 유기물 함량이 비교적 높지 않고 금속의 수산화물, 산화물, 인산염 및 황화물을 함유하고 있는 시료에 적용한다.

③ 질산-황산 분해법은 유기물 등을 많이 함유하고 있는 대부분의 시료에 적용한다.

④ 질산-과염소산 분해법은 유기물을 높은 비율로 함유하고 있으면서 산화분해가 어려운 시료들에 적용한다.

⑤ 질산-과염소산-불화수소산 분해법은 점토질 또는 규산염이 높은 비율로 함유된 시료에 적용한다.

⑥ 회화법은 목적성분이 400℃ 이상에서 휘산되지 않고 쉽게 회화될 수 있는 시료에 적용한다.

7. 기름성분-중량법

① 폐기물 중의 비교적 휘발되지 않는 탄화수소, 탄화수소유도체, 그리스유상 물질 중 노말헥산에 용해되는 성분에 적용한다.

② 정량한계는 0.1% 이하이다.

③ 시료는 24시간 이내에 증발처리를 하여야 하나 최대한 7일을 넘기지 말아야 한다. 시료를 분석하기 전에 상온이 되게 한다.

④ 시료 적당량을 분별깔때기에 넣고 메틸오렌지용액(0.1%)을 2~3방울 넣고 황색이 적색으로 변할 때까지 염산(1+1)을 넣어 pH 4 이하로 조절한다. 단, 반고상 또는 고상폐기물인 경우에는 폐기물의 양에 약 2.5배에 해당하는 물을 넣어 잘 혼합한 다음 pH 4이하로 조절하여 상등액으로 한다.

8 수소이온농도-유리전극법

① 액상 폐기물과 고상 폐기물의 pH를 유리전극과 기준전극으로 구성된 pH 측정기를 사용하여 측정한다.

② 이 시험기준으로 pH를 0.01까지 측정한다.

③ 유리전극은 일반적으로 용액의 색도, 탁도, 콜로이드성 물질들, 산화 및 환원성 물질들 그리고 염도에 의해 간섭을 받지 않는다.

④ pH는 온도변화에 따라 영향을 받는다.

⑤ 산성표준용액은 3개월 사용한다.

⑥ 염기성 표준용액은 산화칼슘(생석회) 흡수관을 부착하여 1개월 이내에 사용한다.

⑦ 정밀도는 임의의 한 종류의 pH 표준용액에 대하여 검출부를 증제수로 잘 씻은 다음 5회 되풀이하여 pH를 측정했을 때 그 재현성이 ±0.05 이내이어야 한다.

⑧ 내부정도관리 주기 및 목표 : 시료를 측정하기 전에 표준용액 2개 이상으로 보정한다.

⑨ 반고상 또는 고상 폐기물의 분석절차는 시료 10g을 50mL 비커에 취한 다음 정제수 25mL를 넣어 잘 교반하여 30분 이상 방치한 후 이 현탁액을 시료용액으로 하거나 원심분리한 후 상층액을 시료용액으로 사용한다.

9. 석면

① 편광현미경법에서 편광현미경으로 판단할 수 있는 석면의 정량범위는 1~100%이다.

② 시료의 양은 1회에 최소한 면적단위로는 $1cm^2$, 부피단위로는 $1cm^3$, 무게단위로는 2g 이상 채취한다.

③ X선 회절기법에서 X선 회절기로 판단할 수 있는 석면의 정량범위는 0.1~100.0wt%이다.

④ 소형크기는 제품별로 채취하고 채취자가 시료량이 부족하다고 판단하는 경우에는 가능한 경우 2개 이상을 채취한다.

⑤ 대형크기는 제품별로 채취하되 시료의 무게나 형태로 인해 운반의 어려움 등이 있어 제품별로 채취하기가 곤란할 경우에는 석면 함유가 의심되는 재질을 별도로 분리하여 채취한다.

10. 시안

① 시안의 측정방법

시안의 측정방법	정량한계
자외선/가시선분광법	0.01mg/L
이온전극법	0.5mg/L
연속흐름법	0.01mg/L

② 자외선/가시선 분광법은 시료를 pH 2 이하의 산성으로 조절한 후에 에틸렌다이아민테트라아세트산이나트륨을 넣고 가열 증류하여 시안화합물을 시안화수소로 유출시켜 수산화나트륨용액에 포집한 다음 중화하고 클로라민 T와 피리딘·피라졸론 혼합액을 넣어 나타나는 청색을 620nm에서 측정하는 방법이다.

③ 이온전극법은 액상 폐기물과 고상 폐기물을 pH 12~13의 알칼리성으로 조절한 후 시안이온전극과 비교전극을 사용하여 전위를 측정하고 그 전위차로부터 시안을 정량하는 방법이다.

④ 다량의 지방성분을 함유한 시료는 아세트산 또는 수산화나트륨 용액으로 pH 6~7로 조절한 후 시료의 약 2%에 해당하는 부피의 노말헥산 또는 클로로폼을 넣어 추출하여 유기층은 버리고 수층을 분리하여 사용한다.

⑤ 황화합물이 함유된 시료는 아세트산아연용액(10W/V%) 2mL를 넣어 제거한다.

⑥ 잔류염소가 함유된 시료는 잔류염소 20mg당 L-아스코빈산(10W/V%) 0.6mL 또는 이산화비소산나트륨용액(10W/V%) 0.7mL를 넣어 제거한다.

11. 구리(Cu)

① 구리의 측정방법

구리	정량한계	정밀도(RSD)
원자흡수분광광도법	0.008mg/L	±25% 이내
유도결합플라스마 - 원자발광분광법	0.006mg/L	±25% 이내
자외선/가시선 분광법	0.002mg	±25% 이내

② 자외선/가시선 분광법은 시료 중에 구리이온이 알칼리성에서 다이에틸다이티오카르바민산나트륨과 반응하여 생성하는 황갈색의 킬레이트 화합물을 아세트산부틸로 추출하여 흡광도를 440nm에서 측정하는 방법이다.

② 비스무트(Bi)가 구리의 양보다 2배 이상 존재할 경우에는 황색을 나타내어 방해한다.

12. 납(Pb)

① 납의 측정방법

납	정량한계	정밀도(RSD)
원자흡수분광광도법	0.04mg/L	±25% 이내
유도결합플라스마 – 원자발광분광법	0.040mg/L	±25% 이내
자외선/가시선 분광법	0.001mg	±25% 이내

② 자외선/가시선 분광법은 시료 중에 납 이온이 시안화칼륨 공존하에 알칼리성에서 디티존과 반응하여 생성하는 납 디티존착염을 사염화탄소로 추출하고 과잉의 디티존을 시안화칼륨용액으로 씻은 다음 납 착염의 흡광도를 520nm에서 측정하는 방법이다.

② 시료에 다량의 비스무트(Bi)가 공존하면 시안화칼륨용액으로 수회 씻어도 무색이 되지 않는다.

13. 비소(As)

① 비소의 측정방법

비소	정량한계	정밀도(RSD)
원자흡수분광광도법	0.005mg/L	±25% 이내
유도결합플라스마 – 원자발광분광법	0.050mg/L	±25% 이내
자외선/가시선 분광법	0.002mg	±25% 이내

② 수소화물생성 원자흡수분광광도법은 전처리한 시료 용액 중에 아연 또는 나트륨붕소수화물을 넣어 생성된 수소화비소를 원자화시켜 193.7nm에서 흡광도를 측정하고 비소를 정량하는 방법이다.

② 자외선/가시선 분광법은 시료 중의 비소를 3가비소로 환원시킨 다음 아연을 넣어 발생되는 비화수소를 다이에틸다이티오카르바민산은의 피리딘용액에 흡수시켜 이때 나타나는 적자색의 흡광도를 530nm에서 측정하는 방법이다.

14. 수은(Hg)

① 수은의 측정방법

수은	정량한계	정밀도(RSD)
원자흡수분광광도법(환원기화법)	0.0005mg/L	±25%
자외선/가시선 분광법(디티존법)	0.001mg	±25%

② 환원기화 – 원자흡수분광광도법은 시료 중 수은을 이염화주석을 넣어 금속 수은으로 환원시킨 다음이 용액에 통기하여 발생하는 수은증기를 253.7nm 의 파장에서 원자흡수분광광도법에 따라 정량하는 방법이다.

③ 시료 중 염화물이온이 다량 함유된 경우에는 산화조작시 유리염소를 발생 하여 253.7nm에서 흡광도를 나타낸다. 이때에는 염산하이드록실아민용액 을 과잉으로 넣어 유리염소를환원시키고 용기 중에 잔류하는 염소는 질소 가스를 통기시켜 추출한다.

④ 벤젠, 아세톤 등 휘발성 유기물질도 253.7nm에서 흡광도를 나타낸다. 이 때에는 과망간산칼륨 분해 후 헥산으로 이들 물질을 추출 분리한 다음 실험 한다.

⑤ 자외선/가시선 분광법은 수은을 황산 산성에서 디티존사염화탄소로 일차 추출하고 브로모화칼륨 존재하에 황산 산성에서 역추출하여 방해성분과 분 리한 다음 알칼리성에서 디티존사염화탄소로 수은을 추출하여 490nm에서 흡광도를 측정하는 방법이다.

15. 카드뮴(Cd)

① 카드뮴의 측정방법

카드뮴	정량한계	정밀도(RSD)
원자흡수분광광도법	0.002mg/L	±25% 이내
유도결합플라스마 – 원자발광분광법	0.004mg/L	±25% 이내
자외선/가시선 분광법(디티존법)	0.001mg	±25% 이내

② 자외선/가시선 분광법은 시료 중에 카드뮴이온을 시안화칼륨이 존재하는 알칼리성에서디티존과 반응시켜 생성하는 카드뮴착염을 사염화탄소로 추 출하고, 추출한 카드뮴착염을 타타르산용액으로 역추출한 다음 수산화나 트륨과 시안화칼륨을 넣어 디티존과 반응하여 생성하는 적색의 카드뮴착염 을 사염화탄소로 추출하여 그 흡광도를 520nm에서 측정하는 방법이다.

16. 크롬(Cr)

① 크롬의 측정방법

크롬	정량한계	정밀도(RSD)
원자흡수분광광도법	0.01mg/L	±25% 이내
유도결합플라스마 – 원자발광분광법	0.007mg/L	±25% 이내
자외선/가시선 분광법(다이페닐카바자이드법)	0.002mg	±25% 이내

② 자외선/가시선 분광법은 시료 중에 총 크롬을 과망간산칼륨을 사용하여 6 가크롬으로 산화시킨 다음 산성에서 다이페닐카바자이드와 반응하여 생성되는 적자색 착화합물의 흡광도를 540nm에서 측정하여 총크롬을 정량하는 방법이다.

③ 시료 중 철이 2.5mg 이하로 공존할 경우에는 다이페닐카바자이드용액을 넣기 전에 피로인산나트륨·10수화물용액(5%) 2mL를 넣어 주면 간섭을 줄일 수 있다.

17. 6가 크롬(Cr^{6+})

① 6가 크롬의 측정방법

크롬	정량한계	정밀도(RSD)
원자흡수분광광도법	0.01mg/L	±25% 이내
유도결합플라스마 – 원자발광분광법	0.007mg/L	±25% 이내
자외선/가시선 분광법(다이페닐카바자이드법)	0.04mg/L	±25% 이내

② 자외선/가시선 분광법은 시료 중에 6가크롬을 다이페닐카바자이드와 반응시켜 생성하는 적자색의 착화합물의 흡광도를 540nm에서 측정하여 6가크롬을 정량하는 방법이다.

18. 유기인

① 기체크로마토그래피는 유기인 화합물 중 이피엔, 파라티온, 메틸디메톤, 다이아지논 및 펜토에이트의 측정방법으로서, 유기인화합물을 기체크로마토그래프로 분리한 다음 질소인검출기 또는 불꽃광도 검출기로 분석하는 방법이다.

② 기체크로마토그래피의 정량한계는 0.0005mg/L이다.

③ 기체크로마토그래프-질량분석법의 정량한계는 각 성분 당 0.0005mg/L이다.

19. 폴리클로리네이티드비페닐(PCBs)-기체크로마토그래피

① 시료 중의 폴리클로리네이티드비페닐(PCBs)을 헥산으로 추출하여 실리카겔 컬럼 등을통과시켜 정제한 다음 기체크로마토그래프에 주입하여 크로마토그램에 나타난 피크 패턴에 따라 폴리클로리네이티드비페닐(PCBs)를 확인하고 정량하는 방법이다.

② 용출용액 정량한계는 0.0005mg/L, 액상 폐기물의 정량한계는 0.05mg/L이다.

③ 비함침성 고상폐기물의 정량한계는 표면채취법은 $0.05\mu g/100cm^2$, 부재 채취법은 0.005mg/kg이다.

20. 감염성미생물

① 감염성미생물의 검사방법에는 아포균 검사법, 세균배양 검사법, 멸균테이프 검사법이 있다.

② 지표생물포자란 감염성폐기물의 멸균잔류물에 대한 멸균여부의 판정은 병원성미생물보다 열저항성이 강하고 비병원성인 아포형성 미생물을 이용하는데 이를 지표생물포자라 한다.

③ 시료의 채취는 가능한 한 무균적으로 하고 멸균된 용기에 넣어 1시간 이내에 실험실로 운반·실험하여야 하며, 그 이상의 시간이 소요될 경우에는 10℃ 이하로 냉장하여 6시간이내에 실험실로 운반하고 실험실에 도착한 후 2시간 이내에 배양조작을 완료하여야 한다.

04 폐기물 처분기술

1. 석탄의 탄화도

① 탄화도가 증가하면 고정탄소, 발열량, 착화온드, 연료비 $\left(\dfrac{고정탄소}{휘발분}\right)$ 가 증가

② 탄화도가 증가하면 매연 발생량. 비열, 휘발분, 수분, 산소의 양, 연소속도 는 감소

2. 액체연료

① 발열량이 크고 품질이 비교적 균일하고, 계량, 기록이 수월하다.

② 회분이 거의 없고 점화, 소화 및 연소의 조절이 비교적 쉽다.

③ 액체연료는 화재, 역화 등의 위험이 크며, 연소온도가 높아 국부가열을 일 으키기 쉽다.

④ 저장, 운반이 용이하며 배관공사 등에 걸리는 비용도 적게 소요된다.

⑤ 단위질량당의 발열량이 커, 화력이 강하다.

⑥ 액체연료는 비교적 저가로 안정하게 공급되고 품질에도 큰차가 없다.

3. 기체연료

① 연소효율이 높고 안정된 연소가 된다.

② 적은 과잉공기(10~20%)로 완전연소가 가능하다.

③ 연료의 예열이 쉽고 유황 함유량이 적어 황산화물의 발생량이 적다.

④ 점화, 소화가 용이하고 연소조절이 쉽고, 발열량이 높다.

⑤ 설비비가 많이 들고 비싸다.

⑥ 취급시 위험성이 크며, 수송이나 저장이 용이하지 못하다.

4. 기체연료의 종류

① LNG(액화천연가스)의 주성분은 메탄(CH_4)이다.

② LNG의 밀도는 공기보다 작으며, 고위발열량은 10,000kcal/Sm^3이다.

③ LNG는 천연가스를 1기압하에서 −162℃ 정도로 냉각하여 액화시켜 대량

수송 및 저장을 가능하게 한 것이다.
④ LPG(액화석유가스)의 주성분은 프로판(C_3H_8)과 부탄(C_4H_{10})이다.
⑤ LPG의 비중이 공기보다 무거우며, 발열량은 26,000 kcal/Sm³이다.
⑥ LPG는 석유정제때에 부산물로 생산되는 것과 천연가스에서 회수되는 것이 있으나 전자의 것이 대부분이다.

5. 유동층 소각로

① 기계적 구동부분이 적어 고장율이 낮다.
② 가스의 온도가 낮고 과잉공기량이 적어 질소산화물(NO_X)도 적게 배출된다.
③ 로내 온도의 자동제어와 열회수가 용이하다.
④ 반응시간이 빨라 소각시간이 짧다.(로 부하율이 높다.)
⑤ 유동매체의 축열량이 높아 단기간 정지후 가동시에 보조연료 사용 없이 정상가동이 가능하다.
⑥ 연소효율이 높아 미연소분의 배출이 적고 2차 연소실이 필요없다.
⑦ 로내로 투입전 파쇄 등의 전처리가 필요하다.(투입이나 유동화를 위해 파쇄가 필요하다.)
⑧ 상(床)으로부터 찌꺼기 분리가 어려우며, 유동매체의 손실로 인한 보충이 필요하다.

6. 화격자식(Stoker) 소각로

① 휘발성이 많고 열분해하기 쉬운 물질을 태울 경우에는 공기를 위쪽에서 아래쪽으로 통과시키는 하향식 연소방식을 쓴다.
② 연속적인 소각과 배출이 가능하다.
③ 경사 Stoker방식의 경우 수분이 많은 것이나 발열량이 낮은 것도 어느 정도 소각이 가능하다.
④ 체류시간이 길고 교반력이 약하여 국부가열이 발생할 염려가 있다.
⑤ 고온중에서 기계적으로 구동하기 때문에 금속부의 마모손실이 심하다.
⑥ 플라스틱 등과 같이 열에 쉽게 용해되는 물질은 화격자가 막힐 염려가 있다.

7. Rotary Kiln(로터리 킬른) = 회전로 소각로

① 습식가스 세정시스템과 함께 사용할 수 있다.
② 경사진 구조로 용융상태의 물질에 의하여 방해를 받지 않는다.
③ 폐기물의 체류시간은 로의 회전속도를 조절함으로써 제어할 수 있다.

④ 고형폐기물에 높은 난류도와 공기에 대한 접촉을 크게 할 수 있다.
⑤ 대체로 예열, 혼합, 파쇄 등의 전처리 없이 폐기물 주입이 가능하다.
⑥ 액상이나 고상의 여러 가지 폐기물을 동시에 처리할 수 있다.
⑦ 드럼이나 대형용기를 그대로 집어넣을 수 있다.
⑧ 비교적 열효율이 낮은 편이며, 먼지의 발생량이 많다.
⑨ 구형 및 원통형 물질은 완전연소가 끝나기 전에 굴러 떨어질 수 있다.

8. 다단로

① 다단로는 내화물을 입힌 가열판, 중앙의 회전축, 일령의 평판상을 구성하는 교반팔로 구성되어 있다.
② 다량의 수분이 증발되므로 수분함량이 높은 폐기물의 연소가 가능하다.
③ 체류시간이 길어 특히 휘발성이 적은 폐기물 연소에 유리하다.
④ 늦은 온도반응 때문에 보조연료 사용을 조절하기가 어렵다.
⑤ 유해폐기물의 완전분해를 위한 2차 연소실이 필요하다.
⑥ 먼지의 발생량이 많다.

9. 액상분사 소각로

① 액체 주입형 연소기의 가장 일반적인 형식은 수평점화식이다.
② 구동장치가 간단하고 고장이 적다.
③ 완전히 연소시켜야 하며 내화물의 파손을 막아 주어야 한다.
④ 고형분의 농도가 높으면 버너가 막히기 쉽다.
⑤ 대량처리가 불가능하며, 버너노즐 없이 액체의 미립화가 어렵다.
⑥ 소각재 배출설비가 없어 회분함량이 낮은 액상폐기물에 사용된다.

10. 로 본체의 형식

① 역류식(향류식)은 수분이 많고 저위발열량이 낮은 쓰레기에 적합하며, 연소실내의 연소가스의 흐름방향과 폐기물의 이송방향이 반대인 형식이다.
② 병류식은 수분이 적고 저위발열량이 높은 폐기물에 적합하며, 폐기물의 이송방향과 연소가스의 흐름방향이 같은 형식이다.
③ 교류식(중간류식)은 역류식(향류식)과 병류식의 중간적인 형식이며, 폐기물 질의 변동이 심한 경우에 사용한다.
④ 복류식은 2개의 출구를 가지고 있으며, 댐퍼의 개폐로 역류식, 병류식, 교류식으로 조절할 수 있고, 폐기물의 질이나 저위발열량의 변동이 심할 경우에 사용한다.

11. 열분해

① 열분해란 폐기물을 무산소 또는 산소가 부족한 상태에서 고온으로 가열하여 기체, 액체, 고체 상태의 연료를 생산하는 공정이다.
② 열분해에서 일반적으로 저온이라 함은 500~900℃, 고온은 1,100~1,500℃를 말한다.
③ 열분해 장치는 고정상, 유동상, 부유상태 등의 장치로 구분되어질 수 있다.
④ 연소가 고도의 발열반응에 비해 열분해는 고도의 흡열반응이다.
⑤ 열분해 온도에 따른 가스의 구성비가 좌우되는데 고온이 될수록 이산화탄소함량이 감소하고, 수소함량이 증가한다.
⑥ 열분해를 통하여 얻어지는 연료의 성질을 결정짓는 요소로는 운전온도, 가열속도, 폐기물의 성질 등으로 알려져 있다.

12. 열분해가 소각처리에 비해 갖는 장점

① 황 및 중금속이 회분속에 고정되는 비율이 크다.
② 저장 및 수송이 가능한 연료를 회수할 수 있다.
③ 환원성 분위기가 유지되어 Cr^{3+}가 Cr^{6+}로 변화하기 어렵다.
④ 배기가스량이 적어 가스처리 장치가 소형이다.
⑤ 소각처리에 비해 상대적으로 저온이기 때문에 질소산화물(NO_x)의 발생량이 적다.
⑥ 지속적 환원 분위기로 효과적인 에너지 회수가 가능하다.

13. 열교환기

① 열교환기의 구성은 과열기, 재열기, 절탄기(이코노마이저), 공기예열기로 구성되어 있다.
② 과열기는 보일러에서 발생하는 포화증기에 다수의 수분이 함유되어 있으므로 이것을 과열하여 수분을 제거하고 과열도가 높은 증기를 얻기 위해 설치하며, 일반적으로 보일러의 부하가 높아질수록 방사과열기에 의한 과열온도가 낮아지고, 대류과열기의 과열온도는 상승한다.
③ 재열기는 설치위치는 과열기의 중간 또는 뒤쪽에 배치되어 있으며, 증기터빈 속에서 팽창하여 포화증기에 도달한 증기를 도중에서 이끌어내어 그 압력으로 다시 가열하여 터빈에 되돌려 팽창시키는 장치이다.
④ 절탄기(이코노마이저)는 연도에 설치하며, 폐열회수를 위한 열교환기이며, 보일러 전열면을 통하여 연소가스의 여열로 보일러 급수를 예열하여 보일러 효율을 높이는 장치이다.

⑤ 공기예열기는 굴뚝가스 여열을 이용하여 연소용 공기를 예열하여 보일러
의 효율을 높이는 장치이며, 대표적인 판상 공기예열기, 관형 공기예열기
및 재생식 공기예열기 등이 있으며, 이코노다이저(절탄기)와 병용 설치하
는 경우에는 공기예열기를 저온측에 설치한다.

14. 증기 터빈의 분류

① 증기작동방식으로 분류하면 충동 터빈, 반동 터빈, 혼합식 터틴으로 나누
어진다.
② 증기이용방식으로 분류하면 배압 터빈, 복수 터빈, 혼합 터빈으로 나누어
진다.
③ 증기유동방향으로 분류하면 축류 터빈, 반경류 터빈으로 나누어진다.
④ 흐름수로 분류하면 단류 터빈, 복류 터빈으로 나누어진다.
⑤ 피구동기로 분류하면 감속형 터빈, 직결형 터빈으로 나누어진다

15. 착화온도의 특징

① 가연물의 증발량이 많을수록 낮아진다.
② 화학결합의 활성도가 클수록 낮아진다.
③ 산소와의 친화성이 클수록 낮아진다.
④ 활성화에너지가 작을수록 낮아진다.
⑤ 분자구조가 복잡할수록 낮아진다.
⑥ 발열량이 높을수록 낮아진다.
⑦ 공기 중의 산소농도가 클수록 낮아진다.
⑧ 화학반응성이 클수록 낮아진다.
⑨ 공기의 압력이 높을수록 낮아진다.
⑩ 탄화수소의 분자량이 클수록 낮아진다.
⑪ 비표면적이 클수록 낮아진다.

16. 등가비(∅ ; equivalent ratio)

① $\varnothing = \dfrac{\text{실제의연료량/산화제}}{\text{완전연소를위한이상적연료량/산화제}}$

② $\varnothing = \dfrac{1}{\text{공기비(m)}}$ 이다.

③ $\varnothing = 1$ 경우는 완전연소로 연료와 산화제의 혼합이 이상적이다.

④ $\varnothing > 1$ 경우는 연료가 과잉이며 불완전 연소로 CO, HC 최대이고 NO_x 최소

가 된다.

⑤ ∅ 〈 1 경우는 공기가 과잉, 완전연소가 기대되며 CO가 최소가 된다.

17. 탄수소비(C/H)

① 석유계 연료의 탄수소비는 연소용 공기량과 발열량 그리고 연료의 연소특
성에도 영향을 미친다.
② 탄수소비가 크면 비교적 비점이 높은 연료는 매연이 발생되기 쉽다.
③ 기체연료의 탄수소비는 올레핀계 〉 나프텐계 〉 아세틸계 〉 프로필계 〉 프
로판 〉 메탄순으로 감소한다.
④ 중질 연료일수록 C/H비는 크다.
⑤ C/H비가 클수록 이론공연비는 감소된다.
⑥ C/H비는 휘발유 〈 등유 〈 경유 〈 중유 순으로 증가한다.
⑦ C/H비가 클수록 휘도가 높고 방사율이 크다.

18. 그을음(매연)

① 분해나 산화하기 쉬운 탄화수소는 그을음 발생이 적다.
② C/H비가 큰 연료일수록 그을음이 잘 발생된다.
③ 발생빈도의 순서는 천연가스 〈 LPG 〈 제조가스 〈 석탄가스 〈 코크스이다.
④ - C - C-의 탄소결합을 절단하기 보다 탈수소가 쉬운 쪽이 매연이 생기기
쉽다.
⑤ 탈수소, 중합 및 고리화합물 등과 같이 반응이 일어나기 쉬운 탄화수소일수
록 매연이 잘 생긴다.
⑥ 연소실의 체적이 작을 때 매연이 발생한다.
⑦ 중유연소에서 공기비가 클수록 검댕이 적게 생긴다.

19. 고형화연료(RDF)를 소각로에서 사용시 문제점

① RDF의 조성은 주로 유기물질이므로 수분함량에 따라 부패되기 쉽다.
② RDF 중에 Cl 함량이 크면 다이옥신 발생 위험성이 높다.
③ 소각시설의 부식발생으로 시설수명이 단축될 수 있다.
④ 시설비 및 동력비가 고가이며, 운전에 숙련된 기술이 요구된다.
⑤ 연료공급의 신뢰성 문제가 있을 수 있다.

20. 고형화연료(RDF)의 구비조건

① 재의 양이 적을 것
② 대기오염이 적을 것
③ 함수율이 낮을 것
④ 균일한 조성을 가질 것
⑤ 발열량(칼로리)이 높을 것

21. 공기비(m)가 작을 경우 발생하는 현상

① 연소가스 중의 CO와 HC의 농도가 증가한다.
② 매연이나 검댕의 발생량이 증가한다.
③ 연소효율이 저하한다.

22. 공기비(m)가 클 경우 발생하는 현상

① 연소실에서 연소온도가 낮아진다.(연소실의 냉각효과를 가져옴)
② 통풍력이 강하여 배기가스에 의한 열손실이 증대된다.
③ 황산화물과 질소산화물의 함량이 증가하여 부식이 촉진된다.
④ CH_4, CO 및 C 등 물질의 농도가 감소한다.
⑤ 방지시설의 용량이 커지고 에너지 손실이 증가한다.
⑥ 희석효과가 높아져 연소 생성물의 농도가 감소한다.

23. 다이옥신류 저감방안 및 제거기술

① 소각로 배출가스의 재연소기에 의한 제거기술을 도입한다.
② 다이옥신 분해 촉매에 의한 제거기술을 도입한다.
③ 활성탄에 의한 흡착기술을 도입한다.
④ 로내 온도를 1,000℃ 이상으로 운전하여 다이옥신 성분 발생량을 최소화한다.
⑤ 배기가스 conditioning시 칼슘 및 활성탄분말 투입시설을 설치하여 다이옥신과 반응후 집진함으로써 줄일 수 있다.
⑥ 유기염소계 화합물(PVC 제품류) 반입을 제한한다.
⑦ 페인트가 칠해져 있거나 페인트로 처리된 목재, 가구류 반입을 억제 제한한다.
⑧ 활성탄과 백필터를 같이 사용하는 경우에는 분무된 활성탄이 필터 백 표면에 코팅되어 백 필터에서도 흡착이 활발하게 일어난다.

24. 전기 집진장치

① 미세입자 제거가 가능하고, 집진효율이 높다.
② 유지관리가 용이하고 운전비, 유지비가 적게 소요된다.
③ 압력손실이 적고 대량의 먼지함유가스를 처리할 수 있다.
④ 회수할 가치가 있는 입자의 포집이 가능하다.
⑤ 부식성가스가 함유된 먼지도 처리가 가능하다.
⑥ 고온가스, 대량의 가스처리가 가능하다.
⑦ 설치시 소요 부지면적이 크고, 초기시설비가 크다.
⑧ 전압변동과 같은 조건변동에 쉽게 적응하기 어렵다.

25. 여과 집진장치

① 1 μm이상의 미세입자의 제거가 용이하다.
② 세정집진장치보다 압력손실과 동력소모가 적다.
③ 다양한 여과재의 사용으로 인하여 설계시 융통성이 있다.
④ 폭발성, 점착성 및 흡습성 먼지의 제거가 어렵다.
⑤ 수분이나 여과속도에 대한 적응성이 낮다.
⑥ 여과재의 교환으로 유지비가 고가이다.
⑦ 여과집진장치의 집진 원리에는 확산작용, 관성충돌, 차단작용, 중력작용이 있다.

26. 스크러버(세정 집진장치)

① 2차적 먼지처리가 불필요하다.
② 전기, 여과집진장치보다 좁은 공간에 설치가 가능하다.
③ 한번 제거된 입자는 다시 처리가스 속으로 재비산 되지 않는다.
④ 고온다습한 가스나 연소성 및 폭발성 가스의 처리가 가능하다.
⑤ 가동부분이 작고 조작이 간단하다.
⑥ 입자상 물질과 가스상 물질을 동시에 제거가 가능하다.
⑦ 접착성 및 조해성 먼지의 처리가 가능하다.
⑧ 친수성 더스트의 집진효과가 높다.

27. 사이클론(원심력 집진장치)

① 압력손실(80~100mmH$_2$O)이 비교적 작다.
② 고온가스의 처리가 가능하다.
③ 먼지량과 유량의 변화에 민감하다.
④ 미세입자의 집진효율이 낮다.
⑤ 고농도는 병렬로 연결하고, 응집성이 강한 먼지는 직렬연결(단수 3단 한계)하여 주로 사용한다.

28. 관성력 집진장치

① 일반적으로 충돌 직전의 처리가스의 속도가 크고, 처리 후의 출구 가스속도가 작을수록 미립자의 제거가 쉽다.
② 기류의 방향전환 각도가 작고, 방향전환 횟수가 많을수록 압력손실은 커지나 집진은 잘 된다.
③ 적당한 모양과 크기의 호퍼가 필요하다.
④ 함진가스의 충돌 또는 기류의 방향전환 직전의 가스속도가 크고, 방향전환 시에 곡률반경이 작을수록 미세입자의 포집이 가능하다.

29. 중력 집진장치

① 중력에 의한 자연침강의 방법으로 주로 입자의 크기가 50μm 이상의 입자상물질을 처리하는데 사용된다.
② 함진가스의 온도변화에 의한 영향을 거의 받지 않는다.
③ 전처리(1차처리장치)로 사용된다.
④ 유지비 및 설치비가 적게 드나 신뢰도가 낮다.
⑤ 침강실내의 처리가스 속도가 작을수록 집진율은 높아진다.
⑥ 침강실의 높이가 낮고 길이가 길수록 집진율은 높아진다.
⑦ 다단일 경우에는 단수가 증가할수록 집진율은 높아지면서 압력손실도 증가한다.

30. 매립공법의 종류

① 내륙매립공법의 종류에는 샌드위치 공법, 셀 공법, 압축매립 공법, 도랑형 공법이 있다.
② 해안매립공법의 종류에는 박층뿌림공법, 순차투입공법, 내수배제 공법, 수중투기공법이 있다.

31. 내륙매립공법

① 샌드위치 공법은 쓰레기를 수평으로 고르게 깔아서 압축한 다음 그 위에 복토를 하여 쓰레기와 복토를 번갈아 하면서 쌓는 방법이다.

② 셀공법은 쓰레기 비탈면의 경사를 20% 전후(15~25%)로 하여 쓰레기를 셀 모양으로 쌓고 각각의 셀에 복토하는 방법으로 화재의 발생 및 확산을 방지 할 수 있고, 1일 작업하는 셀 크기는 매립 처분량에 따라 결정된다.

③ 압축매립공법은 쓰레기를 매립하기 전에 이의 감량화를 목적으로 먼저 쓰레기를 일정한 더미형태로 압축하여 부피를 감소시킨 후 포장을 실시하여 매립하는 방법으로 쓰레기 발생량 증가와 매립지 확보 및 사용년한 문제에 있어서 유리하며, 지가(地價)가 비쌀 경우에 유효한 방법이다.

④ 도랑형 공법은 폭 20m, 깊이 10m 정도의 도랑을 판 다음 일정한 두께로 쓰레기를 매립한 다음 인근 도랑에서 굴착한 흙으로 복토하는 방법으로 매립지 바닥이 두껍고(지하수면이 지표면으로부터 깊은 곳에 있는 경우) 또한 복토로 적합한 지역에 이용하는 방법으로 단층매립만 가능한 공법이다.

32. 해안매립공법

① 박층뿌림공법은 개량된 지반이 붕괴될 위험이 있을 때 밑면이 뚫린 바지선을 이용하여 쓰레기를 박층으로 떨어뜨려 뿌려주어 바닥의 지반하중을 균등하게 하기 위해 사용하는 방법으로 쓰레기 지반 안정화 및 매립부지 조기 이용 등에 유리하지만 매립효율이 떨어진다.

② 순차투입공법은 호안측으로부터 순차적으로 쓰레기를 투입하여 육지화하는 방법으로 수심이 깊은 처분장에서는 건설비 과다로 내부수를 완전히 배제하기가 곤란한 경우 사용하며, 부유성 쓰레기의 수면확산에 의해 수면부와 육지부 경계구분이 어려워 매립장비가 매몰되기도 한다.

③ 수중투기공법은 호 안에 해수를 그대로 둔 채 폐기물을 투기하는 공법이다.

⑤ 내수배제공법은 매립전에 내수를 배제시킨 후 폐기물을 매립하는 방법이다.

33. 인공복토재의 조건

① 투수계수가 낮아야 한다.

② 연소가 잘되지 않아야 한다.

③ 생분해가 가능하여야 한다.

④ 살포가 용이해야 한다.

⑤ 미관상 좋아야 한다.

⑥ 매립지 공간을 절약할 수 있어야 한다.

⑦ 위생문제를 해결하여야 한다.
⑧ 독성이 없어야 한다.
⑨ 가격이 저렴해야 한다.
⑩ 악취발생을 저감시킬 수 있어야 한다.

34. 복토의 목적

① 우수의 침투를 방지한다.
② 쓰레기의 비산을 방지한다.
③ 화재를 예방한다.
④ 유해곤충이나 해충의 서식을 방지한다.
⑤ 악취를 방지한다.

35. 연직차수막 공법의 종류

① 강널말뚝 공법
② 굴착에 의한 차수시트 매설 공법
③ 어스댐 코어 공법
④ 그라우트 공법

36. 차수시설 중 연직차수막

① 차수막 보강시공이 가능하고, 지중에 수평방향의 차수층이 존재할 때 사용
   한다.
② 지하매설로써 차수성 확인이 어렵다.
③ 지하수 집배수시설이 불필요하다.
④ 단위면적당 공사비는 비싸지만 총공사비는 싸다.
⑤ 연직차수막은 지중에 암반 및 점성토로 구성된 불투수층이 수평방향으로
   넓게 분포하고 있는 경우 수직 또는 경사로 시공한다.

37. 차수시설 중 표면차수막

① 매립지 필요범위에 차수재료로 덮인 바닥이 있는 경우와 매립지 지반의 투
   수계수가 큰 경우에 사용한다.
② 시공시에는 눈으로 차수성 확인이 가능하나 매립후에는 곤란하다.
③ 지하수 집배수시설이 필요하다.
④ 차수막 단위면적당 공사비는 싸지만 매립지 전체를 시공하는 경우가 많아

총공사비는 비싸다.

⑤ 보수 가능성면에 있어서는 매립 전에는 용이하나 매립 후에는 어렵다.

38. 연직차수막과 표면차수막의 비교

	연직차수막	표면차수막
차수성 확인	지하에 매설하기 때문에 확인이 어렵다.	시공시에는 가능하나 매립후에는 곤란하다.
경제성	단위면적당 공사비가 비싼 반면 총공사비는 싸다.	단위면적당 공사비는 싸지만 매립지 전체를 시공하는 경우가 많아 총공사비는 비싸다.
보수성	차수막 보강시공이 가능하다.	매립 전에는 가능하나 매립 후에는 어렵다.
지하수 집배수시설	필요없다.	필요하다.

39. 합성차수막의 Crystallinity(결정도)가 증가할수록 나타나는 성질

① 충격에 약하다.
② 화학물질에 대한 저항성이 증가한다.
③ 인장강도가 증가한다.(단단해진다.)
④ 투수계수가 감소한다.
⑤ 열에 대한 저항성이 증가한다.

40. 합성차수막의 종류

① CR(Choroprene Rubber)은 대부분의 화학물질에 대한 저항성이 높고, 마모 및 기계적 충격에 강한 반면, 접합이 용이하지 못하고, 가격이 비싸다.
② PVC(Polyvinyl Chloride)는 가격이 저렴하고, 작업이 용이하고, 강도가 크고, 접합이 용이한 반면, 대부분의 유기화학물질과 자외선, 오존, 기후에 약하다.
③ CSPE(Chlorosulfonated Polyethylene)는 접합이 용이하고, 미생물에 강하고, 산 및 알칼리에 강한 반면, 기름, 탄화수소, 용매류에 약하고, 강도가 약하다.
④ HDPE & LDPE는 대부분의 화학물질에 대한 저항성이 높고, 접합상태가 양호하고, 온도에 대한 저항성이 높고, 강도가 높은 반면, 유연하지 못하고 손상의 우려가 높다.

⑤ EPDM(Ethylene Propylene Diene Monomer)은 수분의 함량이 낮고, 강도가 높은 반면, 접합상태가 양호하지 못하고, 기름, 방향족 탄화수소, 용매류에 약하다.

41. 점토의 차수막 적합조건

① 투수계수 : 10^{-7}cm/sec 미만
② 소성지수 : 10% 이상 30% 미만
③ 액성한계 : 30% 이상
④ 점토 및 미사토 함량 : 20% 이상
⑤ 자갈 함유량 : 10% 미만
⑥ 직경이 2.5cm 이상인 입자의 함유량 : 0%

42. 침출수 농도에 미치는 영향인자

① 매립된 쓰레기의 높이
② 매립된 쓰레기의 질
③ 연간 평균강수량
④ 매립된 쓰레기의 조성
⑤ 매립된 쓰레기의 경과시간
⑥ 쓰레기의 매립방법

43. 침출수량에 영향을 주는 요인

① 강우량
② 증발량
③ 지하수량
④ 침투수량
⑤ 표면유출량
⑥ 폐기물 분해시 발생량

44. 폐기물 매립후 발생되는 생성가스 농도변화

① Ⅰ단계(호기성단계)는 산소가 급감하여 거의 사라지고 이산화탄소(탄산가스)가 생성되기 시작하고, 질소가 감소한다.
② Ⅱ단계(혐기성 비메탄단계)는 혐기성 단계지만 CH_4가 형성되지 않고, H_2가 생성되기 시작하고 SO_4^{2-}, NO_3^- 등이 환원 된다.

PART 04

③ Ⅲ단계(메탄생성축적단계)는 혐기성 단계이며 CH_4가 발생하기 시작한다.

④ Ⅳ단계(정상적인 혐기단계)는 정상적인 혐기단계로 CH_4와 CO_2의 함량이 거의 일정하다.

45. 매립지의 매립폐기물 및 발생가스 조건

① 폐기물 중에는 약 50%의 분해 가능한 물질이어야 한다.

② 폐기물 중 분해가능한 물질의 50% 이상이 실제 분해하여 기체를 발생시켜야 한다.

③ 발생기체의 50% 이상을 포집할 수 있어야 한다.

④ 기체의 발열량은 2,200kcal/Sm^3 이상이어야 한다.

46. LFG(Landfill Gas) 중 CO_2 제거공정

① 흡수법

② 흡착법

③ 화학적 전환법

④ 저온분리법 : 저온 증류에 의해 분리

⑤ 막분리법 : 막으로 선택적 통과 분리

기출
계산공식

Contents

01 폐기물개론

1. 쓰레기(폐기물)배출량 계산공식

쓰레기 배출량$(kg/인 \cdot 일)$

$$= \frac{쓰레기 수거량(kg/일)}{인구수(인)}$$

$$= \frac{쓰레기 발생량(kg/일)}{인구수(인)}$$

$$= \frac{쓰레기양(kg)}{인구수(인) \times 시간(일)}$$

$$= \frac{차량용적(m^3/대) \times 차량수(대/1일) \times 폐기물밀도(kg/m^3)}{인구수(인)}$$

$$= \frac{적재용량(m^3/일 \cdot 대) \times 밀도(kg/m^3) \times 차량수(대)}{수거대상인구수(인)}$$

$$= \frac{적재용량(m^3/대) \times 밀도(kg/m^3) \times 수거차량수(대)}{인구수(인) \times 일수(일)}$$

2. 수거대상인구수 계산공식

$$수거대상인구수 = \frac{적재용량(m^3/대) \times 폐기물 밀도(kg/m^3) \times 대/일}{폐기물 발생량(kg/인 \cdot 일)}$$

3. 수거효율(MHT) 계산공식

① $MHT = \dfrac{수거인부수 \times 작업시간(hr/day)}{쓰레기 수거실적(ton/day)}$

② $MHT = man \cdot hr/ton$

③ MHT는 1ton의 쓰레기를 수거하는데 수거인부 1인이 소요하는 총 시간이다.

④ MHT가 클수록 수거효율이 낮다.

4. 수거차량 대수 계산공식

수거차량 대수

$$= \frac{쓰레기\ 발생량(m^3)}{적재용량(m^3/대)}$$

$$= \frac{쓰레기의\ 양(ton)}{적재용량(ton/대)}$$

$$= \frac{쓰레기\ 발생량(kg/일) \times \dfrac{1}{쓰레기\ 밀도(kg/m^3)}}{적재용량(m^3/대)}$$

$$= \frac{폐기물\ 발생량(m^3/day) \times 밀도(ton/m^3)}{차량의\ 적재용량(ton/대)}$$

$$= \frac{폐기물\ 발생량(톤/일)}{적재용량(톤/대 \cdot 회) \times 운전시간(hr/일) \times \dfrac{1회}{소요시간(min)} \times \dfrac{60min}{1hr}}$$

5. 수거횟수 계산공식

$$수거횟수(회/일) = \frac{쓰레기\ 배출량}{차량의\ 1회\ 수거량}$$

$$= \frac{쓰레기\ 배출량(m^3/일)}{쓰레기\ 수거량(m^3/회)}$$

$$= \frac{쓰레기\ 발생량(kg/일) \times \dfrac{1}{밀도(kg/m^3)}}{적재용량(m^3/회)}$$

$$= \frac{쓰레기발생량(kg/인 \cdot 일) \times 인구수(인) \times \dfrac{1}{밀도(kg/m^3)}}{수거차량용적(m^3/대 \cdot 회) \times 수거차량수(대)}$$

6. 슬러지 계산공식

① $W_1 \times (100 - P_1) = W_2 \times (100 - P_2)$

W_1 : 건조 전 폐기물량(kg) W_2 : 건조 후 폐기물량(kg)
P_1 : 건조 전 수분량(%) P_2 : 건조 후 수분량(%)

② $W_1 \times TS_1 = W_2 \times TS_2$

$\begin{bmatrix} W_1 : 건조 전 폐기물량(kg) \\ TS_1 : 건조 전 고형물량(\%) \end{bmatrix}$ 　　　$\begin{matrix} W_2 : 건조 후 폐기물량(kg) \\ TS_2 : 건조 후 고형물량(\%) \end{matrix}$

③ $V_1 \times (100 - P_1) = V_2 \times (100 - P_2)$

$\begin{bmatrix} V_1 : 탈수 전 슬러지량(m^3) \\ P_1 : 탈수 전 함수율(\%) \end{bmatrix}$ 　　　$\begin{matrix} V_2 : 탈수 후 슬러지량(m^3) \\ P_2 : 탈수 후 함수율(\%) \end{matrix}$

④ $V_1 \times TS_1 = V_2 \times TS_2$

$\begin{bmatrix} V_1 : 탈수 전 슬러지량(m^3) \\ TS_1 : 건조 전 고형물량(\%) \end{bmatrix}$ 　　　$\begin{matrix} V_2 : 탈수 후 슬러지량(m^3) \\ TS_2 : 건조 후 고형물량(\%) \end{matrix}$

7. 부피감소율(%)과 압축비 계산공식

① $부피감소율(\%) = \left(1 - \dfrac{V_2}{V_1}\right) \times 100(\%)$

$= \left(1 - \dfrac{W_1}{W_2}\right) \times 100(\%)$

$= \left(1 - \dfrac{압축 전 밀도}{압축 후 밀도}\right) \times 100$

$= \left(1 - \dfrac{1}{압축비}\right) \times 100$

$\begin{bmatrix} V_1 : 압축 전 부피(m^3) \end{bmatrix}$ 　　　$V_2 : 압축 후 부피(m^3)$

② $압축비 = \dfrac{V_1}{V_2} = \dfrac{100}{100 - 부피감소율(\%)}$

$\begin{bmatrix} V_1 : 압축 전 부피(m^3) \end{bmatrix}$ 　　　$V_2 : 압축 후 부피(m^3)$

8. 평균함수율 및 혼합공식

① $평균 함수율 = \dfrac{합[습윤상태의 무게(kg) \times 함수율(\%)]}{합[습윤상태의 무게(kg)]}$

② $혼합공식(C_m) = \dfrac{Q_1 C_1 + Q_2 C_2}{Q_1 + Q_2}$

9. Rosin-Rammler 모델에 의한 특성입자크기(X_0) 계산공식

$$Y = 1 - \exp\left[-\left(\frac{X}{Xo}\right)\right]^n \text{에서} \quad Xo = \frac{-X}{LN(1-Y)}$$

X : 폐기물 입자의 크기   Xo : 특성입자의 크기
n : 상수

10. Kick의 법칙 계산공식

$$\text{Kick의 법칙 : } E = C \ln\left(\frac{dp_1}{dp_2}\right)$$

E : 에너지 소모율 dp_1 : 평균크기
dp_2 : 최종크기

11. 가연성물질의 양 계산공식

① 플라스틱의 양(kg)

$$= \text{폐기물의 양}(m^3) \times \text{폐기물의 밀도}(kg/m^3) \times \frac{\text{플라스틱의 함량(\%)}}{100}$$

② 가연성 물질(kg) $= \text{쓰레기의 양}(m^3) \times \text{밀도}(kg/m^3) \times \dfrac{\text{가연성분(\%)}}{100}$

③ 가연분의 양(kg)

$$= \text{폐기물의 양}(m^3) \times \text{밀도}(kg/m^3) \times \frac{100 - \text{비가연분의 함량(\%)}}{100}$$

④ RDF 생산량(ton/일)

$$= \text{폐기물 발생량}(ton/일) \times \frac{\text{가연성분(\%)}}{100} \times \frac{\text{가연성분 회수율(\%)}}{100}$$

12. 유효입경, 균등계수, 곡률계수 계산공식

① 유효입경 $= D_{10\%}$

② 균등계수 $= \dfrac{D_{60\%}}{D_{10\%}}$

③ 곡률계수 $= \dfrac{(D_{30\%})^2}{(D_{10\%} \times D_{60\%})}$

D_{60} : 입도누적곡선상 60% 입경 D_{10} : 입도누적곡선상 10% 입경
D_{30} : 입도누적곡선상 30% 입경

13. 임계속도와 최적속도 계산공식

① $N_C = \sqrt{\dfrac{g}{4\pi^2 r}} \times 60$

② $N_S = N_C \times 0.45$

$\begin{bmatrix} N_C : \text{임계속도}(\text{rpm} = \text{회}/\text{min}) & \qquad N_S : \text{최적속도}(\text{rpm}) \\ g : \text{중력가속도}(9.8\ \text{m}/\text{sec}^2) & \qquad r : \text{스크린 반경}(\text{m}) \end{bmatrix}$

14. pH의 개념

① $pH = -\log[H^+] \Rightarrow [H^+] = 10^{-pH}\,\text{mol/L}$

② $pOH = -\log[OH^-] \Rightarrow [OH^-] = 10^{-pOH}\,\text{mol/L}$

③ $pH + pOH = 14$

④ 산성 물질에서 $pH = -\log[H^+]$

⑤ 알칼리성 물질에서 $pH = 14 + \log[OH^-]$

15. 고체 및 액체에서 발열량 계산공식

① Dulong식에 의한 고위발열량(Hh)

$Hh = 8{,}100C + 34{,}000 \times \left(H - \dfrac{O}{8}\right) + 2{,}500S\,(\text{kcal/kg})$

② 저위발열량(Hl)

$Hl = Hh - 600(9H + W)\,(\text{kcal/kg})$

$\begin{bmatrix} Hl : \text{저위 발열량}(\text{kcal/kg}) & \qquad Hh : \text{고위 발열량}(\text{kcal/kg}) \\ H : \text{수소의 함량} & \qquad W : \text{수분의 함량} \end{bmatrix}$

③ $Hl = 45VS - 6W$

$\begin{bmatrix} Hl : \text{저위발열량}(\text{kcal/kg}) & \qquad VS : \text{가연성분}(\%) \\ W : \text{수분}(\%) \end{bmatrix}$

④ 습량기준 고위발열량(kcal/kg)

$= \text{건량기준 고위발열량}(\text{kcal/kg}) \times \dfrac{(100 - \text{수분함량}(\%))}{100}$

⑤ 습량기준 저위발열량(kcal/kg)

$= \text{습량기준 고위발열량}(\text{kcal/kg}) - 600(9H+W)(\text{kcal/kg})$

16. Worrell과 Rietema의 선별효율(E) 계산공식

① Worrell의 선별효율(E) $= \left(\dfrac{X_c}{X_i} \times \dfrac{Y_o}{Y_i} \right) \times 100$

② Rietema의 선별효율(E) $= \left| \left(\dfrac{X_c}{X_i} - \dfrac{Y_c}{Y_i} \right) \right| \times 100(\%)$

X_i : 투입량 중 회수대상물질 Y_i : 투입량 중 비회수대상물질
X_o : 제거량 중 회수대상물질 Y_o : 제거량 중 비회수대상물질
X_c : 회수량 중 회수대상물질 Y_c 회수량 중 비회수대상물질

17. 슬러지의 비중 계산공식

① $\dfrac{1}{\rho_{SL}} = \dfrac{W_{VS}}{\rho_{VS}} + \dfrac{W_{FS}}{\rho_{FS}} + \dfrac{W_P}{\rho_P}$

ρ_{SL} : 슬러지의 비중 ρ_{VS} : 휘발성 고형물의 비중
W_{VS} : 휘발성 고형물의 함량 ρ_{FS} : 잔류성 고형물의 비중
W_{FS} : 잔류성 고형물의 함량 ρ_P : 수분의 비중
W_P : 수분의 함량

② $\dfrac{1}{\rho_{SL}} = \dfrac{W_{TS}}{\rho_{TS}} + \dfrac{W_P}{\rho_P}$

ρ_{SL} : 슬러지의 비중 W_{TS} : 고형물의 함량
ρ_{TS} : 고형물의 비중 W_P : 수분의 함량
ρ_P : 수분의 비중

18. 생물분해성 분율 계산공식

$BF = 0.83 - (0.028 \times LC)$

BF : 생물분해성 분율(휘발성 고형분함량 기준)
LC : 휘발성 고형분 중 리그린 함량

19. 소각재 및 재의 밀도 계산공식

① 재의 밀도(ton/m^3) = $\dfrac{\text{재의 질량(ton)}}{\text{재의 용량}(m^3)}$

$$= \dfrac{\text{폐기물의 양(ton)} \times \dfrac{\text{재의 함량(\%)}}{100}}{\text{재의 용적}(m^3)}$$

② 소각재의 밀도(kg/m^3) = 용적밀도$(kg/m^3) \times \dfrac{100 - \text{질량감소율(\%)}}{100 - \text{부피감소율(\%)}}$

20. 유용성분의 함량 계산공식

유용성분의 함량(%) = $\dfrac{\text{유용성분 함유 폐기물(kg)}}{\text{폐기물의 양(kg)}} \times 100$

$$= \dfrac{\text{폐기물의 양(kg)} \times \dfrac{\text{유용성분 함유량(\%)}}{100}}{\text{폐기물의 양(kg)}} \times 100$$

21. 적재차량 계수(ton/m^3) = $\dfrac{\text{차량 총 질량} - \text{공차량 질량(ton)}}{\text{적재함의 크기}(m^3)}$

02 폐기물 재활용 및 자원화 기술

1. 소화슬러지량 계산공식

① 소화슬러지량(m^3/day) = (잔류VS + FS)(m^3/day) $\times$ $\dfrac{100}{100 - 함수율(\%)}$

② 잔류VS량 (m^3/day)
  = 분뇨투입량(m^3/day) $\times$ 고형물량(TS) $\times$ 유기물량(VS) $\times$ (1 - 소화율)

③ FS량(m^3/day) = 분뇨투입량(m^3/day) $\times$ 고형물량(TS) $\times$ 무기물량(FS)

2. 고형물(TS)과 유기물(VS) 계산공식

① TS $(kg/m^3 \cdot day)$ = $\dfrac{슬러지 유량(m^3/day) \times 고형물 농도(kg/m^3)}{소화조 부피(m^3)}$

② VS $(kg/m^3 \cdot day)$ = $\dfrac{슬러지 유량(m^3/day) \times 고형물 농도(kg/m^3) \times VS 함량}{소화조 부피(m^3)}$

3. 슬러지 계산공식

① $W_1 \times (100 - P_1) = W_2 \times (100 - P_2)$

  - W_1 : 건조 전 폐기물량(kg) W_2 : 건조 후 폐기물량(kg)
  - P_1 : 건조 전 수분량(%) P_2 : 건조 후 수분량(%)

② $W_1 \times TS_1 = W_2 \times TS_2$

  - W_1 : 건조 전 폐기물량(kg) W_2 : 건조 후 폐기물량(kg)
  - TS_1 : 건조 전 고형물량(%) TS_2 : 건조 후 고형물량(%)

③ $V_1 \times (100 - P_1) = V_2 \times (100 - P_2)$

  - V_1 : 탈수 전 슬러지량(m^3) V_2 : 탈수 후 슬러지량(m^3)
  - P_1 : 탈수 전 함수율(%) P_2 : 탈수 후 함수율(%)

④ $V_1 \times TS_1 = V_2 \times TS_2$

  - V_1 : 탈수 전 슬러지량(m^3) V_2 : 탈수 후 슬러지량(m^3)
  - P_1 : 탈수 전 함수율(%) P_2 : 탈수 후 함수율(%)

4. BOD 제거효율 계산공식

① BOD 제거효율(%) $= \left(1 - \dfrac{\text{유출수의 침전물}}{\text{유입수의 침전물}}\right) \times 100$

$= \left(1 - \dfrac{\text{유출수의 BOD}}{\text{유입수의 BOD}}\right) \times 100$

$= \left(1 - \dfrac{\text{유출수 BOD} \times \text{희석배수치(P)}}{\text{유입수 BOD}}\right) \times 100$

② 희석배수치(P) $= \dfrac{\text{유입수의 Cl}^- \text{농도}}{\text{유출수의 Cl}^- \text{농도}}$

5. 슬러지 및 케이크 발생량 계산공식

① 슬러지 발생량(m^3) $= \dfrac{\text{슬러지농도}(kg/m^3) \times \text{슬러지량}(m^3)}{\text{비중량}(kg/m^3)} \times \dfrac{100}{100 - \text{함수율}(\%)}$

$= \dfrac{\text{슬러지농도}(kg/m^3) \times \text{슬러지량}(m^3)}{\text{비중량}(kg/m^3)} \times \dfrac{100}{\text{고형물}(\%)}$

② Cake의 발생량(m^3/hr)

$= \dfrac{\text{발생슬러지량}(kg/hr)}{\text{비중량}(kg/m^3)} \times \dfrac{100}{100 - \text{함수율}(\%)}$

$= \dfrac{\text{고형물 농도}(kg/m^3) \times \text{슬러지량}(m^3/hr) \times \text{소석회 첨가량}}{\text{비중량}(kg/m^3)} \times \dfrac{100}{100 - \text{함수율}(\%)}$

6. 적재차량 계수(ton/m^3) $= \dfrac{\text{차량 총 질량} - \text{공차량 질량(ton)}}{\text{적재함의 크기}(m^3)}$

7. 여과속도($kg/m^2 \cdot hr$)

$= \dfrac{\text{고형물 농도}(kg/m^3) \times \text{슬러지량}(m^3/hr)}{\text{여과면적}(m^2)}$

8. 산기관수 계산공식

산기관 수

$= \dfrac{\text{처리용량}(m^3/day) \times \text{BOD농도}(kg/m^3) \times \text{처리효율} \times \text{소모공기량}(m^3/kg)}{\text{산기관1개당 통풍량}(m^3/day \cdot \text{개})}$

9. 슬러지 발생량 계산공식

① 1차 침전에서 발생한 슬러지량(kg/일)

$$= 유량(m^3/day) \times SS농도(kg/m^3) \times \frac{제거율(\%)}{100}$$

② 활성슬러지공법에 의해 발생된 슬러지량(kg/일)

$$= 유량(m^3/day) \times BOD농도(kg/m^3) \times (1 - 1차 제거율) \times 폭기조 제거율$$

$$\times \frac{슬러지발생량(kg)}{1kg 제거BOD}$$

10. BOD 제거량과 필요 송풍량 계산공식

① 제거된 BOD 총량$(kg/day) = BOD농도(kg/m^3) \times 분뇨량(m^3/day) \times 제거율$

② 송풍량$(m^3/hr) = 제거된 BOD 총량(kg/hr) \times 제거 BOD당 필요풍량(m^3/kg)$

11. 유기물 부하량 계산공식

유기물 부하량$(kg/m^3 \cdot day)$

$$= 슬러지농도(kg/m^3) \times 슬러지량(m^3/day) \times \frac{유기물량(\%)}{100} \times \frac{1}{용적(m^3)}$$

12. 슬러지의 소화율 계산공식

$$소화율(\%) = \left\{ 1 - \frac{소화후(유기물질/무기물질)}{소화전(유기물질/무기물질)} \right\} \times 100(\%)$$

13. 가스탱크의 용량 계산공식

가스탱크의 용량$(m^3) = 생성가스량(m^3/day) \times 저류시간(day)$

14. 분뇨와 볏짚 혼합물의 C/N비

$$C/N비 = \frac{탄소량}{질소량} = \frac{\{분뇨의 탄소량 + 볏짚의 탄소량\}}{\{분뇨의 질소량 + 볏짚의 질소량\}}$$

15. 슬러지의 비중 계산공식

① $\dfrac{1}{\rho_{SL}} = \dfrac{W_{VS}}{\rho_{VS}} + \dfrac{W_{FS}}{\rho_{FS}} + \dfrac{W_P}{\rho_P}$

ρ_{SL} : 슬러지의 비중
W_{VS} : 휘발성 고형물의 함량
W_{FS} : 잔류성 고형물의 함량
W_P : 수분의 함량

ρ_{VS} : 휘발성 고형물의 비중
ρ_{FS} : 잔류성 고형물의 비중
ρ_P : 수분의 비중

② $\dfrac{1}{\rho_{SL}} = \dfrac{W_{TS}}{\rho_{TS}} + \dfrac{W_P}{\rho_P}$

ρ_{SL} : 슬러지의 비중
ρ_{TS} : 고형물의 비중
ρ_P : 수분의 비중

W_{TS} : 고형물의 함량
W_P : 수분의 함량

16. 반감기와 1차 반응식 계산공식

① 반감기 공식 : $\ln\dfrac{1}{2} = -k \times t$

② 1차 반응식 공식 : $\ln\dfrac{C_t}{C_o} = -k \times t$

C_o : 초기농도
k : 상수

C_t : t시간 후의 농도
t : 시간

17. 부피변화율과 혼합률(MR) 계산공식

① 부피변화율(VCF) $= (1+MR) \times \dfrac{\rho_1}{\rho_2}$

ρ_1 : 고화처리 전 밀도

ρ_2 : 고화처리 후 밀도

② MR(혼합률) $= \dfrac{\text{첨가제의 질량}}{\text{폐기물의 질량}}$

18. 소성지수 계산공식

소성지수 = 액성한계 - 소성한계

19. 토양의 저항성 계산공식

$$토양의\ 저항성(R) = \frac{2 \times \pi \times s(전극간격) \times V(측정전압)}{I(전류)}$$

20. 공극률 계산공식

$$공극률(\%) = \left(1 - \frac{용적밀도}{입자밀도}\right) \times 100$$

21. 소요열량 계산공식

소요열량(kcal)

$$= 분뇨투입량(kg/일) \times 비열(kcal/kg\,℃) \times 온도차(℃) \times \frac{100}{열효율(\%)}$$

22. 열효율 계산공식

$$열효율(\%) = \frac{배기온도 - 슬러지온도}{연소온도} \times 100$$

23. 쓰레기의 발열량 계산공식

① 쓰레기의 발열량$(kcal/kg) = G \times C \times (t_2 - t_1)$

$\left[\begin{array}{ll} G : 실제공기량(mA_0)(Sm^3/kg) & C : 공기정압비열(kcal/Sm^3 \cdot ℃) \\ t_2 : 공기예열온도(℃) & t_1 : 공기온도(℃) \end{array}\right.$

② 전체 발열량(kcal/kg) = 쓰레기의 발열량 + 쓰레기의 저위발열량

24. 메탄의 발생량 및 함유량 계산공식

① CH_4 가스의 발생량(m^3)

$$= 분뇨량(m^3) \times 고형물량(kg/m^3) \times 유기물의 함량 \times \frac{m^3\,CH_4}{kg\,VS}$$

$$= 쓰레기량(kg) \times 유기물의 함량 \times 가스전환율 \times 가스 발생량(m^3/kg) \times 메탄의 함량$$

② 메탄가스 함유량$(\%) = \dfrac{소화조 가스의 열량(kcal/m^3)}{메탄가스의 열량(kcal/m^3)} \times 100$

25. 가스탱크 용량 계산공식

가스탱크의 용량(m^3) = 처리용량(m^3/day) × 저류시간(day)

26. 퇴비여과상의 면적 계산공식

$$퇴비여과상의\ 면적(m^2) = \frac{가스량(m^3/hr)}{투과속도(m/hr)}$$

27. 염소주입량 계산공식

① 염소주입량 = 염소요구량 + 염소잔류량

② 염소요구량 = 염소주입량 - 염소잔류량

③ $염소주입량(mg/L) = \dfrac{주입량(kg/day)}{발생량(m^3/day)} \times 10^3$

28. 고형물의 함유율 계산공식

$$고형물\ 함유율(\%) = \frac{고형물의\ 함유량(kg)}{농축슬러지의\ 무게(kg)} \times 100$$

29. 분뇨 투입구수 계산공식

분뇨 투입구 수

$$= \frac{수거분뇨량}{수거차량의\ 용량 \times 수거차량\ 작업시간 \times 수거차량의\ 분뇨투입시간} \times 안전율$$

30. 오염물질의 농도 및 배출가스유량 보정공식

① 오염물질 농도 보정식

$$C = C_a \times \frac{21 - O_s}{21 - O_a}$$

$\begin{bmatrix} C : 오염물질\ 농도(ppm) \\ O_s : 표준산소농도(\%) \end{bmatrix}$ C_a : 실측오염물질 농도(ppm)
                                                O_a : 실측산소농도(\%)

② 배출가스 유량 보정식

$$Q = Q_a \div \frac{21 - O_s}{21 - O_a}$$

Q : 배출가스 유량(Sm^3/day)

Q_a : 실측상태의 배출가스 유량(Sm^3/day)

O_s : 표준산소농도(%)

O_a : 실측산소농도(%)

31. pF 계산공식

① $pF = log[H]$

② $pF = [H\ cmH_2O]$

③ $1atm = 760mmHg = 10,332mmH_2O = 1,033cmH_2O$

32. 체류시간 계산공식

$$체류시간(day) = \frac{면적(m^2) \times 높이(m)}{분뇨주입량(m^3/day)} = \frac{\frac{\pi D^2}{4}(m^2) \times 높이(m)}{분뇨주입량(m^3/day)}$$

폐기물공정시험기준

1.원추4분법에서 최종 분취된 시료의 양 계산공식

$$시료의 \ 양 = 시료량(g) \times \left(\frac{1}{2}\right)^{조작횟수}$$

2. 용액의 농도 계산공식

$$농도(wt\%) = \frac{용질(g)}{용질(g) + 용매(g)} \times 100$$

3. 강열감량 및 유기물 함량 계산공식

① 강열감량(%) 또는 유기물 함량(%) $= \left(\dfrac{W_2 - W_3}{W_2 - W_1}\right) \times 100$

$\begin{bmatrix} W_1 : 증발용기 \ 질량(g) \\ W_2 : 강열 \ 전 \ 증발용기+시료 \ 질량(g) \\ W_3 : 강열 \ 후 \ 증발용기+시료 \ 질량(g) \end{bmatrix}$

② 유기물 함량(%) $= \dfrac{휘발성 \ 고형물(\%)}{고형물(\%)} \times 100$

휘발성 고형물(%) $=$ 강열감량(%) $-$ 수분(%)

4. 적정 계산공식

① $N_1 \times V_1 = N_2 \times V_2$

② $N_1 \times V_1 \times f_1 = N_2 \times V_2 \times f_2$

$\begin{bmatrix} N : 노르말 \ 농도 \\ f : 펙터(인자) \end{bmatrix}$ \qquad V : 부피

5. 몰농도와 노르말농도 계산공식

① $M농도(mol/L) = \dfrac{질량(g)}{부피(L)} \times \dfrac{1\,mol}{분자량(g)}$

$= \dfrac{비중(g)}{(mL)} \times \dfrac{10^3\,mL}{1L} \times \dfrac{1\,mol}{분자량(g)} \times \dfrac{농도(\%)}{100}$

② $N농도(eq/L) = \dfrac{질량(g)}{부피(L)} \times \dfrac{1\,eq}{1당량\,g}$

$= \dfrac{비중(g)}{(mL)} \times \dfrac{10^3\,mL}{1L} \times \dfrac{1\,eq}{\dfrac{분자량(g)}{가수}} \times \dfrac{농도(\%)}{100}$

6. 자외선/가시선분광법에서 흡광도 계산공식

① $흡광도(A) = \log\dfrac{1}{투과도} = \log\dfrac{100}{투광도(\%)}$

② 투과율(%) + 흡수율(%) = 100%

③ 투과율(%) = 100% − 흡수율(%)

7. 자외선/가시선분광법에서 램비어트비어의 법칙

램비어트 비어의 법칙 : $I_t = I_o \cdot 10^{-\epsilon CL}$ 또는 $I_o = I_t \cdot 10^{\epsilon CL}$

I_o = 입사강도 I_t = 투과강도

L = 셀의 두께 ϵ = 몰흡광계수

C = 농도

8. 정도보증/정도관리

① 기기검출한계 = 표준편차 × 3

② 정량한계 = 표준편차 × 10

9. 함수율이 85% 이상인 시료의 보정계수 계산공식

$보정계수 = \dfrac{15}{100 - 함수율(\%)}$

10. 노말헥산 추출물질 농도 계산식

① 노말헥산 추출물질(%) $= \dfrac{(a - b)(g)}{V(g)} \times 100(\%)$

　a : 실험 전후의 증발접시의 질량 차(g)
　b : 바탕시험 전후의 증발접시의 질량 차(g)
　V : 시료의 양(g)

② 노말헥산추출물질량(mg/L) $= \dfrac{(시료+용기질량-용기질량)(mg)}{시료량(L)}$

11. pH의 개념

① $pH = -\log[H^+] \Rightarrow [H^+] = 10^{-pH} \, mol/L$

② $pOH = -\log[OH^-] \Rightarrow [OH^-] = 10^{-pOH} \, mol/L$

③ $pH + pOH = 14$

④ 산성 물질에서 $pH = -\log[H^+]$

⑤ 알칼리성 물질에서 $pH = 14 + \log[OH^-]$

04 폐기물 처분기술

1. 연소효율 및 열효율 계산공식

① 연소효율(%)

$$= \left(1 - \frac{손실열량}{저위발열량}\right) \times 100$$

$$= \frac{H(발열량) - Q(불완전연소에 의한 열손실) - R(재의 열손실)}{H(발열량)} \times 100$$

② 열효율(%) $= \dfrac{연소온도(℃) - 배기온도(℃)}{연소온도(℃) - 슬러지온도(℃)} \times 100$

2. 소각재 및 재의 밀도 계산공식

① 재의 밀도$(ton/m^3) = \dfrac{재의 질량(ton)}{재의 용량(m^3)} = \dfrac{쓰레기의 질량(ton) \times 개의 함량}{재의 용적(m^3)}$

② 소각재의 밀도$(kg/m^3) = 용적밀도(kg/m^3) \times \dfrac{100 - 질량감소율(\%)}{100 - 부피감소율(\%)}$

③ 재의 체적$(m^3) = \dfrac{회분의 질량(kg)}{회분의 밀도(kg/m^3)}$

3. 급수의 출구온도 계산공식

① 급수의 출구온도$(℃) = \dfrac{배기가스의 발생열량(kcal/hr)}{물의 발생열량(kcal/hr \cdot ℃)} +$ 급수입구온도$(℃)$

② 배기가스의 발생열량(kcal/hr)

= 배기가스유량$(kg/hr) \times$ 배기가스평균정압비열$(kcal/kg \cdot ℃) \times$ 온도차$(℃)$

③ 물의 발생열량(kcal/hr) = 급수량$(kg/hr) \times$ 물의 비열$(kcal/kg \cdot ℃)$

6. 이론연소온도 계산공식

$$t_2 = \frac{Hl}{G \times C} + t_1$$

- t_2 : 이론연소온도(℃)
- Hl : 저위발열량($kcal/Sm^3$)
- C : 정압비열($kcal/Sm^3 \cdot ℃$)
- t_1 : 기준온도(℃)
- G : 연소가스량(Sm^3/Sm^3)

7. RDF 생산량 계산공식

RDF 생산량$(m^3/주)$

$$= 폐기물 발생량(kg/주) \times \frac{가연성분(\%)}{100} \times \frac{가연성분 회수율(\%)}{100} \times \frac{1}{RDF 밀도(kg/m^3)}$$

8. 소요동력 계산공식

$$소요동력(kW) = \frac{PS \times Q}{102 \times \eta_1 \times \eta_2} \times \alpha$$

- PS : 정압(mmH_2O)
- η_1 : 송풍기 정압효율
- α : 여유율
- Q : 가스량(Sm^3/sec)
- η_2 : 전동기 효율
- $1kW = 102kg \cdot m/sec$ 이므로 가스량(Q)의 시간단위는 반드시 "sec"임.

9. 연소실의 열발생율 계산공식

$$열발생율(kcal/m^3 \cdot hr) = \frac{저위발열량(kcal/kg) \times 쓰레기량(kg/hr)}{연소실 크기(m^3)}$$

10. 화상부하 계산공식

$$화상부하(kg/m^2 \cdot hr) = \frac{쓰레기 소각량(kg/hr)}{화상 면적(m^2)}$$

11. 소각로 용적 계산공식

$$소각로 용적(m^3) = \frac{배기가스량(kg/sec) \times 체류시간}{배기가스 밀도(kg/Sm^3) \times \frac{273}{273 + ℃}}$$

12. 열량 계산공식

$$\text{열량}(\text{kcal/sec}) = \text{가스량}(\text{kg/sec}) \times \text{비열}(\text{kcal/kg} \cdot \text{℃}) \times \text{온도차}(\text{℃})$$

13. 공연비 계산공식

① 공연비$(\text{AFR} \; ; \; \text{Sm}^3/\text{Sm}^3) = \dfrac{\text{산소갯수} \times 22.4\text{Sm}^3 \times \dfrac{1}{0.21}}{\text{연료갯수} \times 22.4\text{Sm}^3}$

② 공연비$(\text{AFR} \; ; \; \text{kg/kg}) = \dfrac{\text{산소갯수} \times \text{분자량}(\text{kg}) \times \dfrac{1}{0.232}}{\text{연료갯수} \times \text{연료의 분자량}(\text{kg})}$

$$= \dfrac{\text{AFR}(\text{Sm}^3/\text{Sm}^3) \times \text{공기의 분자량}(\text{kg})}{\text{연료갯수} \times \text{연료의 분자량}(\text{kg})}$$

14. 과잉 공기계수(공기비) 계산식

① 배출가스 분석치가 $CO_2\%$, $O_2\%$, $N_2\%$인 경우

$$\text{공기비}(m) = \dfrac{N_2\%}{N_2\% - 3.76 \times O_2\%}$$

② 산소의 농도(%)가 주어진 경우

$$\text{공기비}(m) = \dfrac{21}{21 - O_2\%}$$

③ 이론 공기량(A_o)과 실제공기량(A)이 주어진 경우

$$\text{공기비}(m) = \dfrac{\text{실제공기량}(A)}{\text{이론공기량}(A_o)} = \dfrac{m A_o}{A_o}$$

15. 고체 및 액체 연료의 연소계산식

(1) 이론 산소량 및 이론 공기량 계산식(kg/kg)

① 이론 산소량$(\text{kg/kg}) = 2.667C + 8\left(H - \dfrac{O}{8}\right) + S$

② 이론 공기량$(\text{kg/kg}) = \left\{2.667C + 8\left(H - \dfrac{O}{8}\right) + S\right\} \times \dfrac{1}{0.232}$

(2) 이론 산소량 및 이론 공기량 계산식(Sm^3/kg)

① 이론 산소량(O_o) $= 1.867C + 5.6\left(H - \dfrac{O}{8}\right) + 0.7S$

② 이론 공기량(A_o) $= \left\{1.867C + 5.6\left(H - \dfrac{O}{8}\right) + 0.7S\right\} \times \dfrac{1}{0.21}$

$\qquad\qquad\quad\; = 8.89C + 26.67\left(H - \dfrac{O}{8}\right) + 3.33S$

(3) 가스량 계산식(Sm^3/kg)

① 이론 건연소가스량(God) $= A_o - 5.6H + 0.7O + 0.8N$

② 실제 건연소가스량(Gd) $= mA_o - 5.6H + 0.7O + 0.8N$

③ 이론 습연소가스량(Gow) $= A_o + 5.6H + 0.7O + 0.8N + 1.244W$

④ 실제 습연소가스량(Gw) $= mA_o + 5.6H + 0.7O + 0.8N + 1.244W$

(4) 고체 및 액체연료의 농도 계산식

① SO_2의 농도(%) $= \dfrac{SO_2량(Sm^3/kg)}{가스량(Sm^3/kg)} \times 100 = \dfrac{0.7 \times S\,(Sm^3/kg)}{가스량(Sm^3/kg)} \times 100$

② SO_2의 농도(ppm) $= \dfrac{SO_2량(Sm^3/kg)}{가스량(Sm^3/kg)} \times 10^6 = \dfrac{0.7 \times S(Sm^3/kg)}{가스량(Sm^3/kg)} \times 10^6$

③ CO_2의 농도(%) $= \dfrac{CO_2량(Sm^3/kg)}{가스량(Sm^3/kg)} \times 100 = \dfrac{1.867 \times C\,(Sm^3/kg)}{가스량(Sm^3/kg)} \times 100$

④ CO_2의 농도(ppm) $= \dfrac{CO_2량(Sm^3/kg)}{가스량(Sm^3/kg)} \times 10^6 = \dfrac{1.867 \times C(Sm^3/kg)}{가스량(Sm^3/kg)} \times 10^6$

(5) $CO_2\,max$(%) 계산식

① $CO_{2\,max} = \dfrac{21 \times (CO_2\% + CO\%)}{21 - O_2\% + 0.395 \times CO\%}$

② $CO_{2\,max} = \dfrac{21 \times CO_2\%}{21 - O_2\%}$

③ $CO_{2\,max} = \dfrac{1.867C}{God} \times 100$

(6) $CO_{2\,max} = \dfrac{CO_2량}{God} \times 100(\%)$

① 이론 공기량(A_o) $= 8.89C + 26.67\left(H - \dfrac{O}{8}\right) + 3.33S(Sm^3/kg)$

② 이론 건연소가스량(God) $= A_o - 5.6H + 0.7O + 0.8N(Sm^3/kg)$

③ CO_2량 $= 1.867 \times C\ (Sm^3/kg)$

(7) 실제 필요한 공기량(Nm^3/hr)
$=$ 공기비(m)$\times$이론공기량(Nm^3/hr)$\times$폐기물소각량(kg/hr)

① 공기비(m) $= \dfrac{N_2\%}{N_2\% - 3.76 \times O_2\%}$

② 이론 공기량(A_o) $= 8.89C + 26.67\left(H - \dfrac{O}{8}\right) - 3.33S(Sm^3/kg)$

(8) Rosin식의 이론 공기량 계산식

이론 공기량(A_o) $= 0.85 \times \dfrac{Hl}{1,000} + 2.0\,(Sm^3/kg)$

16. 기체연료의 연소계산식

(1) 완전연소반응식(Sm^3/Sm^3)
$$C_mH_n + \left(m + \dfrac{n}{4}\right)O_2 \rightarrow mCO_2 + \dfrac{n}{2}H_2O$$

(2) 이론 산소량 및 이론 공기량 계산식(Sm^3/Sm^3)

① 이론 산소량(O_o) = 반응식에서 산소의 갯수

② 이론 공기량(A_o) = 이론 산소량(Sm^3/Sm^3) $\times \dfrac{1}{0.21}$

(3) 가스량 계산식(Sm^3/Sm^3)

① 이론 건연소가스량(God) $= (1 - 0.21) \times A_o + CO_2$량
② 실제 건연소가스량(Gd) $= (m - 0.21) \times A_o + CO_2$량
③ 이론 습연소가스량(Gow) $= (1 - 0.21) \times A_o + CO_2$량 $+ H_2O$량
④ 실제 습연소가스량(Gw) $= (m - 0.21) \times A_o + CO_2$량 $+ H_2O$량

(4) 기체연료의 농도 계산식

① SO_2의 농도(%) $= \dfrac{SO_2량(Sm^3/Sm^3)}{가스량(Sm^3/Sm^3)} \times 100$

② SO_2의 농도(ppm) $= \dfrac{SO_2량(Sm^3/Sm^3)}{가스량(Sm^3/Sm^3)} \times 10^6$

③ CO_2의 농도(%) $= \dfrac{CO_2량(Sm^3/Sm^3)}{가스량(Sm^3/Sm^3)} \times 100$

PART 04

④ CO_2의 농도(ppm) $= \dfrac{CO_2량(Sm^3/Sm^3)}{가스량(Sm^3/Sm^3)} \times 10^6$

17. 발열량 계산식

(1) 고체 및 액체 연료의 발열량 계산식

① 저위발열량 계산식

$Hl = Hh - 600(9H + W)(kcal/kg)$

② 듀롱(Dulong)식에 의한 고위발열량 계산식

$Hh = 8,100C + 34,000\left(H - \dfrac{O}{8}\right) + 2,500\ S\ \ (kcal/kg)$

$\begin{array}{ll} Hl : 저위발열량(kcal/kg) & Hh : 고위발열량(kcal/kg) \\ C : 탄소의 함량 & O : 산소의 함량 \\ H : 수소의 함량 & S : 황의 함량 \\ W : 수분의 함량 & \end{array}$

(2) 기체연료의 저위발열량 계산식

$Hl = Hh - 600\,kcal/kg \times \dfrac{18\,kg}{22.4\,Sm^3} \times H_2O량\ (kcal/Sm^3)$

$\quad = Hh - 480\,kcal/Sm^3 \times H_2O량\ (kcal/Sm^3)$

18. 매립면적 계산공식

$\begin{aligned} 매립면적(m^2/년) &= \dfrac{쓰레기 발생량(kg/년)}{밀도(kg/m^3) \times 매립지 높이(m)} \\[2mm] &= \dfrac{폐기물 배출량(kg/년) \times (1 - 부피감소율)}{쓰레기의 밀도(kg/m^3) \times 매립깊이(m)} \\[2mm] &= \dfrac{폐기물발생량(kg/년) \times (1 - 압축율)}{쓰레기의 밀도(kg/m^3) \times 매립지 깊이(m)} \\[2mm] &= \dfrac{쓰레기 발생량(ton/년) \times (1 - 부피감소율)}{쓰레기 밀도(ton/m^3) \times 매립깊이(m)} \times \dfrac{1}{점유율} \end{aligned}$

19. 매립장의 사용일수 계산공식

$\begin{aligned} 매립장 사용일수 &= \dfrac{매립용적(m^3)}{쓰레기 발생량(m^3/일) \times (1 - 부피감소율)} \\[2mm] &= \dfrac{매립용량(m^3) \times 밀도(kg/m^3)}{쓰레기 배출량(kg/일)} \times \dfrac{폐기물}{폐기물 + 복토} \end{aligned}$

20. Darcy의 법칙 계산공식

$$t = \frac{d^2 \times n}{k \times (d+h)}$$

- t : 시간(년)
- k : 투수계수(m/년)
- h : 침출수 수두(m)
- n : 유효공극률
- d : 점토층의 수두(m)

21. 매립장 관련 계산공식

① 물의 침투속도(m/sec) $= \dfrac{\text{비배출량}(m/sec)}{\text{공극률}}$

② 도달시간(년) $= \dfrac{\text{이동거리}(m) \times \text{유효공극률}}{\text{유출속도}(m/년)}$

③ 침출수 발생량(m^3/일) 계산공식

$$Q = \frac{1}{1000} \times C \times I \times A$$

- C : 유출계수
- I : 강우강도(mm/day)
- Q : 침출수 발생량(m^2/일)
- A : 면적 (m^2)

④ 유출되는 침출수량(m^3/년)

$$= \frac{\text{매립쓰레기량}(ton)}{\text{쓰레기 밀도}(ton/m^3) \times \text{매립 높이}(m)} \times \text{침출되는 강우량}(m/년)$$

⑤ 지하침투수량(C)

$$= \text{총강우량}(P) \times [1 - \text{유출률}(R)] - \text{폐기물의 수분저장량}(S) - \text{증발량}(E)$$

⑥ 지하수의 유량(m^3/day)$= \text{면적} \times \text{속도} \times \text{기울기}\left(\dfrac{\text{수두차}}{\text{거리차}}\right)$

⑦ $V = \dfrac{Q}{A} = k \times \dfrac{dH}{dL}$

- V : 속도(m/sec)
- A : 면적(m^2)
- dL : 두 지점간 거리(m)
- Q : 유량(m^3/sec)
- k : 투수계수(m/sec)
- dH : 수두차(m)

⑧ 처리계획수량(m^3/day) $= \text{연간평균 강수량}(m/day) \times \text{면적}(m^2) \times \text{유출율}$

⑨ 침출수 발생량(m^3/년) $= \text{면적}(m^2) \times \text{침출되는 강우량}(m/년)$

⑩ 혐기성 완전분해식

$$C_aH_bO_cN_d + \left(\frac{4a-b-2c+3d}{4}\right)H_2O$$

$$\rightarrow \left(\frac{4a+b-2c-3d}{8}\right)CH_4 + \left(\frac{4a-b+2c+3d}{8}\right)CO_2 + dNH_3$$

MEMO

MEMO

MEMO